Neues (Mittel-)Europa

Chancen und Probleme der EU-Erweiterung in christlich-sozialethischer Perspektive

Beiträge zur Internationalen Studientagung der Vereinigung für katholische Sozialethik in Mittel- und Südosteuropa, Wien, 14. - 16. Februar 2002

Herausgegeben von
Herbert Pribyl und Helmut Renöckl

2. Auflage

Wien – Tarnow – Würzburg 2004

Biblos-Verlag – Echter-Verlag

Die Deutsche Bibliothek - CIP Einheitsaufnahme

Herbert Pribyl u. Helmut Renöckl (Hg.)
Neues (Mittel-)Europa
Chancen und Probleme der EU-Erweiterung
in christlich- sozialethischer Perspektive
Wien-Tarnow-Würzburg: Biblos, Echter 2004

ISBN: 83-7332-178-0 (Biblos)
ISBN: 3-429-02531-1 (Echter)

2. Auflage

Gedruckt mit Unterstützung
der Stadt Wien, Magistratsabteilung 18
und des österreichischen Bundesministeriums für Bildung,
Wissenschaft und Kultur

Wydawnictwo Diecezji Tarnowskiej
Biblos
Plac Katedralny 6, 33-100 Tarnów
e-mail: biblos@wsd.tarnow.pl
http://www.biblos.pl

Inhaltsverzeichnis

Vorwort der Herausgeber

"Neues (Mittel-)Europa. EU-Erweiterung - Chancen und Probleme" stellten wir uns als Thema für die 18. Internationale Studientagung unserer "Vereinigung zur Förderung der katholischen Sozialethik in Mittel- und Südosteuropa" vom 14. bis 16. Februar 2002 im Bildungshaus Don Bosco in Wien. Über 70 Personen, katholische Sozialethiker, Verantwortliche und Engagierte im Bereich der sozialen Bildung sowie persönlich Interessierte sind der Einladung unserer Vereinigung nach Wien gefolgt. Österreich ist von diesem Kairos besonders betroffen und gefordert, es rückt vom Rand wieder ins Zentrum, mit dem Gros der Beitrittskandidaten bestehen uralte, enge, nicht immer unkomplizierte Beziehungen, die in den letzten Jahrzehnten schmerzlich stranguliert waren. 16 Referenten, Experten, Wissenschafter, Seelsorger und Diplomaten legten im Rahmen dieser Tagung ihre Sicht der Chancen und Probleme dieser historischen Erweiterung der Europäischen Union dar und stellten sich intensiven Diskussionen in erfreulich konstruktiver Atmosphäre.

Auf der letzten Mitglieder-Versammlung unserer Vereinigung[1] in Pecs 2001 wurde ein neues Leitungsteam bestellt. Der Gründer der Vereinigung zur Förderung der katholischen Sozialethik, Herr em. Univ.-Prof. Prälat DDr. Rudolf Weiler legte dort die Leitung der Vereinigung in jüngere Hände. In Absprache mit Prof. Weiler wurde die Weiterführung seiner Anliegen aufgeteilt: Johannes Messners Lebenswerk ist bei der "J. Messner-Gesellschaft" in guten Händen. In diesem Kreis setzt sich Prof. Weiler weiter ein für die Pflege und das

[1] Publiziert in: Goják, János/Pribyl, Herbert (Hg.): Verständigung und Zusammenarbeit. Budapest 2002.

Lebendighalten des Lebenswerkes dieses großen österreichischen Sozialethikers, der sich von seiner Jugend an bis ins hohe Alter mit den wichtigen Entwicklungen in Gesellschaft, Wirtschaft und Kultur lebendig auseinandergesetzt und in schwierigen Zeiten der nationalsozialistisch-totalitären Unrechtsherrschaft mutig sein "Naturrecht" entgegengesetzt hat.

Erwähnt soll noch werden, dass sich Rudolf Weiler schon früh pastoral-kreativ mit dem Sport- und Freizeitbereich befasst hat. Er hat – das war damals geradezu revolutionär - sogar Ordensfrauen für Schi- und Sportwochen motiviert. Noch schwierigere Mauern überwand Rudolf Weiler als früher Pionier bei seinen Kontakten über den "Eisernen Vorhang" hinweg nach Ostmittel- und Osteuropa.

Die sozialethische Zusammenarbeit in Mittel- und Südosteuropa ist nun profiliert das Aufgabenfeld unserer Vereinigung: Die Mauer quer durch Europa ist weg, eine Neugestaltung Europas in Freiheit und Gerechtigkeit ist möglich. Es gilt, diesem Kairos gerecht zu werden. Die Chancen, aber auch die Aufgaben sind gewaltig, hier haben wir uns als katholische Sozialethiker zu bewähren. Alle unsere Fähigkeiten und Kräfte sind einzusetzen. Aber dazu kommt: Als Christen wissen wir allerdings auch, dass es gar nicht nur auf unsere Kräfte ankommt, wir bekamen eine unzerstörbare Hoffnung geschenkt, aus tiefen Quellen immer wieder genug Kraft und Atem für die "Mühen der langen Wege" zum "Gelobten Land".

Den Herausgebern ist es ein Anliegen, Herrn Mag. Friedrich Hitschmann für die redaktionelle Hilfe herzlich zu danken. Finanziell gefördert wurde die Tagung von: "Pro Europa" - Österreichische Bischofskonferenz, Bundesministerium für Bildung, Wissenschaft und Kultur, Stadt Wien - Magistratsabteilung 18, Wirtschaftskammer Österreich. Der vorliegende Tagungsband wurden gedruckt mit Unterstützung der Stadt

Wien - MA 18, Referat Förderung von Wissenschaft und Forschung und des Bundesministeriums für Bildung, Wissenschaft und Kultur in Wien. Allen Förderern gebührt Anerkennung und Dank.

Helmut Renöckl und Herbert Pribyl

(Obmann und Obmann Stv. der Vereinigung
für katholische Sozialethik in Mittel- und Südosteuropa)

Wien, im Jänner 2003

Der Beitrag der Christen, der christlichen Kirchen und der katholischen Sozialethik zur Zukunft (Mittel-)Europas

von Helmut Renöckl

Wir leben in einer schwierigen, unübersichtlichen, aber außerordentlich spannenden Zeit, die uns als Sozialethiker speziell herausfordert: Die historische Umgestaltung Europas, die mit dem denkwürdigen Jahr 1989 einsetzte, erreicht mit der bevorstehenden großen Erweiterung der Europäischen Union eine entscheidende Zwischenetappe. Gleichzeitig laufen noch weitere tiefgehende Umbruchprozesse. Für uns Christen ist das nicht nur ein gewaltiges politisch-ökonomisches Geschehen, sondern ein Kairos: Nach dem Zusammenbruch der totalitären Systeme ist die Neugestaltung der bisher unterdrückten Länder und ganz Europas in Freiheit und Gerechtigkeit möglich! Einen Kairos kann man aber auch versäumen oder verpatzen, das sollte uns nicht passieren. Gewiss ist die Lage derzeit für viele Menschen vor allem in den früher kommunistischen Ländern schwierig und es gibt auch im "Westen" komplizierte Veränderungen und ernste Probleme. Da helfen keine "rosa Brillen", aber auch nicht nostalgisches Jammern und hängende Köpfe. Ich erinnere mich noch sehr gut an den charismatischen Papst Johannes XXIII. und an das von ihm einberufene Konzil. Statt Klagen und defensiver Rückwärtsorientierung, statt persönlicher und kirchlicher "Nabelschau" richtete dieser Papst die Aufmerksamkeit auf die "Zeichen der Zeit". Diese Orientierung bewirkte eine markante Zunahme der kirchlichen Vitalität und eine starke Beachtung kirchlicher Äußerungen weit über den kirchlichen Bereich hinaus.

Seit dem Konzil sind viele Jahrzehnte vergangen, viel und wichtiges hat sich seither verändert. Es kann daher nicht genügen, die damaligen "Zeichen der Zeit" und die Antworten darauf "aufzuwärmen". Wir müssen vielmehr die

jetzt vorrangigen "Zeichen der Zeit" identifizieren und uns daran bewähren. Dazu gehören jedenfalls die Transformation ganz Europas (nicht nur der vormals kommunistischen Länder) und in enger Verflochtenheit damit die vielschichtige "Globalisierung", sowie der Paradigmenwechsel von der Neuzeit zu einer noch undeutlichen "Nachneuzeit". Das bedeutet ebenso schwierige wie faszinierende Herausforderungen für die sozialethische Forschung und Lehre, aber auch intensive Einsätze für entsprechende soziale Bildung. Denn Theorie und Praxis stehen gerade hier in einem engen Wechselzusammenhang. Karl Rahner definierte Theologie als "Reflexion auf gelebten Glauben", das gilt vollinhaltlich auch für eine katholische Sozialethik. Die Zeiten autoritativer Verkündigung von oben sind jedenfalls im gesellschaftlichen Bereich vorbei. Notwendig und chancenreich sind kompetente Klärungen und Gestaltungsbeiträge sowie die überzeugende Ermutigung und Bildung der Menschen.

Ich bin zutiefst überzeugt, dass Christen, Kirchen und speziell unsere Sozialethik ganz Entscheidendes für eine gute Zukunft (Mittel-)Europas beizutragen haben: Der christliche Glaube gibt eine fundierte, nüchterne Hoffnung. Statt "rosaroter oder schwarzer Brillen" ermöglicht dieser einen klaren Blick auf die Gegenwart und die Zukunft. Er gibt Mut, voranführende Wege zu suchen und zu gehen und Durchhaltekraft beim Rudern über das stürmische Meer der Umbrüche. Der Austausch untereinander, zwischen den Sozialethikern der verschiedenen Länder ebenso wie zwischen der akademischen Sozialethik und der sozialen Bildung, ist in der gegebenen Lage besonders wichtig und wertvoll.

1. Chancen und Lasten der politisch-ökonomischen und kulturellen "Transition"

Den zurückliegenden kommunistischen Regimen war – trotz gewisser Unterschiede von Land zu Land – eine hochgradige Zentralisierung der politischen und ökonomischen Entscheidungen und Steuerungen sowie der weltanschaulichen und kulturellen Orientierung gemeinsam. Die Macht war "oben", in der "Nomenklatura", konzentriert, die Entscheidungs-, Gestaltungs- und Verantwortungsmöglichkeiten der einzelnen Menschen, dezentraler Institutionen und freier Vereinigungen waren entsprechend gering. Gefordert war Konformität, Durchführung der Weisungen von oben, geboten wurde dafür Stabilität, wenig Risiko und kollektive Grundversorgung, solange man sich konform verhielt und mit der Unfreiheit und der niedrigen ökonomischen Effizienz zufrieden war. Die ökonomische Effizienz war tatsächlich erschreckend schlecht, die ökologischen Missstände waren dramatisch. Was zählte, waren Machtgruppen, Pläne und Bürokratien, nicht der differenzierte Bedarf und die Würde der Menschen, nicht der Ressourcenverbrauch und die Kosten. Zu all den Formen äußerer Unfreiheit und Unterdrückung kam noch die schleichende Gewöhnung an Unselbständigkeit, die Entwöhnung von persönlicher Verantwortung, von aktiver Lebens- und Gesellschaftsgestaltung, die Verkümmerung vieler Talente.

Eine freiheitlich-pluralistische Demokratie mit Wettbewerbs-Markt-Wirtschaft baut auf weitgehende Entscheidungs- und Gestaltungsmöglichkeiten für die einzelnen Menschen, für dezentrale Institutionen, für die Wirtschafts-Unternehmen und freien Vereinigungen. Offene demokratische Gesellschaft und Wettbewerbs-Märkte sind gesellschaftliche Organisationsformen bzw. Verfahren zur Erreichung von Zielen und zur Lösung von Problemen, sie zwingen zum optimalen Einsatz der knappen Mittel bzw. stimulieren fortwährend die verschiedenen Fähigkeiten, die Entwicklung effizienter Mittel zur Zielerreichung und Problemlösung.

Organisationsformen, Verfahren, Effizienzen sind niemals Selbstzweck, sondern Instrumentarien, Wege, Kriterien zur Erreichung/Sicherung von Zielen, Werten und Problemlösungen. **Welche Ziele, Werte, Problemlösungen anstrebenswert, welche Prioritäten und Proportionen dabei menschenwürdig und deshalb zu beachten sind, ergibt sich nicht automatisch, sondern ist menschliche, religiöse, kulturelle, politische Klärungs- und Steuerungsaufgabe.** Im Zuge der europäischen Kulturgeschichte wurden dafür wesentliche Grundstrukturen entwickelt: Gewaltenteilung, in allgemeinen freien Wahlen gewählte Parlamente, menschenrechtssichernde Verfassungen und unabhängige Gerichte, faire rechtliche Rahmenordnungen für die wesentlichen Lebensbereiche, Strukturen und Regelsysteme für die Wirtschaft zur Sicherung der sozialen und ökologischen Standards.

Wenn man das bedenkt, dann liegt es auf der Hand, dass die Transformation der ehemals kommunistischen Länder nicht rasch und nicht durch bloß äußere Änderungen, wie Einführung eines Mehrparteien-Systems, Abschaffung der Planwirtschaft und Öffnung der Grenzen, gelingen kann. Sie braucht anspruchsvolle, nachhaltige, fachliche und ethische Persönlichkeitsbildung in der breiten Bevölkerung und bei den Führungskräften, damit der zugemuteten hohen Eigenverantwortung der Personen in einer offenen Gesellschaft entsprochen werden kann. Und es braucht eine ebenfalls nicht schnell und leicht leistbare Struktur-Entwicklung, denn nach Ablösung der zentralen Machtmonopole ergeben sich viele neue institutionelle Aufgaben auf allen Ebenen.

Derart umfassende, anspruchsvolle und langwierige Transformationsprozesse führen nur allzu leicht zu Überbeanspruchungen, zu Enttäuschungen vieler, zu Unzulänglichkeiten, Fehlentwicklungen und Regressionen. In solchen psychosozialen Lagen entstehen leicht Tendenzen zur Entsolidarisierung, zur Durchsetzung kurzsichtiger und egoistischer Interessen ohne soziale Rücksichten. Natürlich sind da die unterschiedlichen Lagen in den verschiedenen Ländern, zwischen "Westen" und "Osten" zu beachten, aber ebenso der hohe Anteil gemeinsamer Probleme und Aufgaben in Ost und West: Eigenläufig gewordene Prozesse, Dominanz des Ökonomischen, rasante Ballungs- und Beschleunigungsvorgänge, dadurch Tendenzen zur Passivierung, Überforderung, die Ohnmachts-Empfindungen vieler Menschen. Für Christen und christliche Gemeinschaften stellt sich da auf Grund ihrer fundierten, nüchternen Hoffnung die Herausforderung, nicht in irgendwelchen Nischen oder Gettos zu bleiben, sondern sich aktiv an diesen schwierigen Lern- und Gestaltungsprozessen zu beteiligen, sich das mühselige Rudern über das stürmische Umbruch-Meer mit klarer Orientierung zuzumuten und durchhalten.

2. Herausforderungen der "Globalisierung", Paradigmenwechsel zur "Nachneuzeit"

"Globalisierung" ist nicht nur ein Schlagwort, sondern benennt tatsächlich einen dominanten "Mainstream", ein "Zeichen unserer Zeit". In kirchlichen Milieus ist "Globalisierung" meist negativ besetzt, man sieht darin Bedrohliches, Destruktives, das man am liebsten aufhalten möchte. Vor-Emotionen sind ähnlich problematisch wie Vor-Urteile, versuchen wir ohne vorschnelles Werten zuerst genauer zu erfassen, was da in gang ist:

"Globalisierung" bezeichnet die derzeit laufende weltweite technisch-ökonomische, aber auch soziokulturelle, religiöse und ethische Revolution, ausgelöst vor allem von den Leittechnologien Elektronische Informationstechnik/Telekommunikation und Bio-/Gentechnik. Ähnlich wie bei der ersten "Industriellen Revolution" im 19. Jahrhundert werden die gewachsenen und vertrauten Wirtschafts- und Gesellschaftsstrukturen, aber auch Bewusstsein und Handlungsmuster massiv und irreversibel verändert. Wesentliche Wirtschaftsprozesse, Forschungen, Produktionen und Märkte sind global geworden.

Ökonomisch und politisch werden dadurch die Karten weltweit neu gemischt, Chancen, Lasten, Entscheidungszentren, Arbeitsplätze werden weltweit neu verteilt. Eine gewaltige "Völkerwanderung", freiwillige Mobilität und unfreiwillige Migration, begleitet diese Prozesse. Wenn man nicht sehr gut aufpasst, dann kommt es im Zuge dieser Umwälzungen zu Entsolidarisierung und sozialer Brutalisierung.

Eine starke "Globalisierung" vollzieht sich aber auch soziokulturell und mental: Vor allem über die elektronischen Medien erfolgt eine intensive Diffusion und Infusion von Globalität, von Informationen, Bildern, Lebensmustern, religiösen Vorstellungen und Haltungen aus aller Welt vom Kleinkindalter an. Das führt zu stark veränderten Bewusstseinsinhalten, Sichtweisen, Verhaltensmustern und Gesellschaftsstrukturen. Stichworte dafür sind "Patchwork-Bewusstsein", "Collagen-Identität", "Programm-Surfen" beim Denken und Handeln, rasch wechselnde Wertpräferenzen. Es gibt äußerlich wie innerlich keine "geschlossenen Welten" mehr. Das hat auch religiös und ethisch enorme Konsequenzen.

Es ist wichtig, zusätzlich die "ethische Globalisierung" zu beachten: Elektronische Informationstechnik, Telekommunikation, Bio- und Gentechnik, globalisierte Wirtschaft sind Spitzenleistungen des neuzeitlichen Naturbeherrschungs- und Weltgestaltungsprogramms. In Ost und West empfinden viele Menschen aber die eingetretene "Entgrenzung" des Wissens und Verfügens nicht mehr ungebrochen als wachsende Freiheit, sondern erleben sich vielfach als von eigenläufigen Prozessen getrieben, als eingespannt im globalen Netz von "Big-Business und Big-Science". Es wachsen die Abstände zwischen Arm und Reich, zwischen "einflussreich" und "ohnmächtig". In letzter Zeit wurden bei der wissenschaftlich-technischen Effizienz Schallmauern durchstoßen, weltbewegende Kräfte, bis hin zu den Lebenssteuerungen und dem Erbgut, kamen in menschliche, in industrielle Verfügung. Im Unterschied zur neuzeitlichen Fortschritts-Hoffnung wird zunehmend die Ambivalenz instrumenteller Effizienz bewusst: Erfreulichen positiven Zugewinnen stehen hohe Risiken, Nebenwirkungen, Schäden und Missbrauchsmöglichkeiten gegenüber.

Insgesamt versetzen uns die erlangte "weltbewegende" Effizienz und die entstandenen weltweiten Vernetzungen ethisch in eine neue, noch ungewohnte und ungekonnte Lage: "Die Welt", "die Natur" können nicht mehr als unangreifbar stabile, sich selbst regulierende Basis unseres Lebens und Handelns vorausgesetzt werden. Vielmehr liegt die Verantwortlichkeit für die globale ökosoziale Balancierung, für eine nachhaltig zukunftsfähige Lebenskultur auf menschlichen Schultern. Sind wir dem persönlich und gesellschaftlich-strukturell schon gewachsen?

Da wird die epochale Umorientierungs-Krise von der Neuzeit zu einer noch undeutlichen "Nachneuzeit" spürbar. Die Neuzeit war von der Hoffnung getrieben, durch Erforschen der und Verfügen über die Naturkräfte und alle Gesetzmäßigkeiten die Befreiung der Menschen und die Herbeiführung einer schönen neuen Welt bewerkstelligen zu können. Jetzt, angesichts der erreichten weltbewegenden Effizienz, wachsen Skepsis und Angst vor Risiken und Missbrauchsmöglichkeiten. Die neuzeitlichen Konzepte und Hoffnungen haben an Faszination und Mobilisierungskraft stark verloren, die Nachneuzeit ist hoffnungs- und orientierungsarm. Da helfen keine Durchhalte-Parolen, keine ängstlichen Abmauerungen, auch nicht – wie kirchlich leider vorherrschend - nostalgisch-romantische Träume von vermeintlich besseren früheren Verhältnissen.

Diese Feststellung eines tiefgehenden Stimmungs-Umschwungs, eines "Paradigmenwechsels", beabsichtigt nicht eine Geringschätzung oder gar Verteufelung von Wissen, Technik und Wirtschaft, von "Instrumenten". Un-

wissenheit und Zufall sind Gott nicht wohlgefälliger als verantwortlicher Umgang mit Wissen und Können. Neu bewusst wird vielmehr der Mensch als "frag-würdig", als "Problem". Ich wiederhole: Kann man uns Menschen, so wie wir sind, individuell und gesellschaftlich zutrauen, mit diesem weltbewegenden Wissen und den so effizienten technischen und ökonomischen Eingriffsmöglichkeiten schnell genug verantwortlich umgehen zu lernen? Als Christen können wir uns da nicht heraushalten und ressentimentgeladen auf die Probleme "der modernen Welt" zeigen. Vielmehr richten diese "Zeichen der Zeit" an uns schwierige Herausforderungen: Können wir Christen überzeugende Antworten auf diese neuen Fragen geben? Können wir in Denken und Handeln zeitgenössisch-kompetent unseren Hoffnung begründenden Glauben vermitteln, dass ein wohlwollender, allmächtiger Gott die Menschen mit ihren wissenschaftlichen, ökonomischen, politischen und moralischen Potentialen geschaffen hat, und dass dies auch heute und morgen "gut, sehr gut" genannt werden darf?

3. Biblisch-christliche Perspektiven für Hoffnung und Freiheit

Wir kennen die fundamentalen anthropologischen Aussagen der Bibel: Der Mensch ist als Mann und Frau nach Gottes Ebenbild geschaffen, also mit Geist, Sprach-, Liebes-, Denk- und Entscheidungsfähigkeit, mit Kreativität ausgestattet, Menschen sind in biblischer Sicht "Söhne und Töchter", nicht "Sklaven oder Marionetten", beauftragt, Leben und Welt zu gestalten. Damit ist nicht Willkür legitimiert, gottebenbildlich handelnde Menschen orientieren sich an Gottes Umgang mit seinen Geschöpfen. "Schöpfung" sollte nicht so vorgestellt werden, dass alles "fixfertig vom Himmel gefallen" wäre. "Paradies" und "Sündenfall" sind vielmehr typologische Aussagen, "Ätiologien". Im alten Orient, dem Entstehungskontext der Bibel, waren unsere Allgemeinbegriffe und Wesensaussagen noch nicht verfügbar. Wenn man damals ausdrücken wollte, was dem Wesen nach gilt und immer wieder geschieht, woraus die Gemische und Geflechte der Geschichte und der konkreten Situationen entstehen, dann sagte man "von Anfang an und seit her" und unterstrich das Gemeinte durch starke typologische Erzählungen und Bilder. Es geht da nicht um Chronologie, sondern um das, was ganz wichtig ist und immer wieder geschieht: Gelingendes Leben in Beziehungen der Geschöpfe untereinander und mit ihrem göttlichen Schöpfer bzw. illusionäre oder destruktive Heilskonzepte, Verabsolutierungen, Rivalitäten. Bei fertig "vom Himmel gefallenen" Menschen und "Paradiesen" bliebe keine echte Möglichkeit für Kreativität und Freiheit. Der biblischen Offenbarung entspricht eine werdende Schöpfung, das schrittweise Lernen und Entwickeln des Menschenwürdigen auf langen Lebens- und Menschheitswegen.

Für Christen zeigt sich in Jesus von Nazaret, in seinem Leben, Sterben und Auferstehen kurz, wie im Blitzlicht, wie Gott zu uns ist. Jesus lebte in intensiver Verbindung mit dem göttlichen Vater, immer wieder zog er sich zu langen Phasen des Betens und Sinnens zurück. Seine intensive Gottes-Wahrnehmung lebte er, sie führte ihn nicht von der Welt weg, sondern trieb ihn zu den Menschen. Er ging in die Lebensorte der Menschen, nahm Anteil an ihrem Leben und erschloss ihnen die Bedeutung ihres Lebens. Besondere, heilende Zuwendung widmete er den Beschädigten, den Bedrückten, den von allerlei Ungeist Besessenen, den Schuldigen und religiös Unattraktiven, um ihnen wieder Hoffnung und Lebensorientierung zu geben. Gegen alle Verniedlichung und Verharmlosung des Lebens zeigen Kreuzweg und Kreuzestod Jesu die oft unverstehbar harte Wahrheit der Grenzen, der Ohnmacht, des Leidens, des Unrechts, der Gewalt und des Todes. Im Gekreuzigten zeigt sich die erlösende Haltung des Gottesknechts (vgl. Jes. 53,3-10), der Gewalt und Unrecht nicht wie üblich zurückschleudert und damit perpetuiert, sondern im Vertrauen in die Treue des lebendigen Gottes an sich auslaufen lässt. Es zeigt sich der mitleidende Gottessohn, der seine Arme bis zum Zerreißen auseinander spannen lässt, zwischen der Welt wie sie ist und der himmlischen Hoffnung auf Versöhnung und glückselige Gemeinschaft, ohne das eine oder das andere loszulassen. Für Glaubende bestätigt die österliche Auferstehung dieses Vertrauen und diese Hoffnung.

Wiederum – gegen alle "Naherwartung" paradiesisch-himmlischer Verhältnisse auf Erden – : Dieses jesuanische "Blitzlicht" erspart nicht die Lebens- und Menschheitsgeschichte, die mühsamen, langen Wege des Ertastens und Erlernens des Menschenwürdigen, sondern ist die Zu-Mutung dieser Geschichte. Menschen sind in christlicher Sicht also Wesen mit endlicher Freiheit, denkfähig, kreativ, entscheidungsfähig, fehlbar, im Ausmaß ihrer Fähigkeiten und Möglichkeiten verantwortlich. Am Anfang steht das Ungestaltete, das Wilde, der "Dschungel", und es gibt immer wieder Rückfälle dorthin. **Niemand wird überfordert!** Jeder darf und muss bei seiner Ausgangslage beginnen und in der voranführenden Richtung das ihm Mögliche schrittweise realisieren. Es geht um einen Reifungs- und Wandlungsprozess mit Phasen, Epochen, Umbruch-Krisen, Rückschlägen, weg von infantilen Abhängigkeiten und wilden, unreifen Dominanzen hin zu einer Kultur der Mitmenschlichkeit.

Die für Christen entscheidende Grund-Orientierung ist auch in Umbruchszeiten ganz klar: Endgültige Befreiung, "Heil" gelingt nicht durch "Beherrschung" sondern in "Beziehung". Wo Menschen sich zuvorkommend zuwenden, wo Mitmenschlichkeit, Gerechtigkeit, Barmherzigkeit und Treue gelebt wird, geschieht Göttliches zwischen den Menschen (vgl. Mt. 25,31-46; Mt. 23,23; Jo. 15,9-17). Die "Natur des Menschen" ist in christlicher Sicht also nichts Abgeschlossenes, nicht bloße Einfügung in eine statische, vorgegebene Ordnung. Sie ist aber auch nichts Beliebiges und Willkürliches, sondern sie ist kulturfähig und kulturbedürftig. Lebensphasen, Geschichtsepochen, Kulturen sind Etappen, Bauteile des Schöpfung-Projekts "menschenwürdiges Leben", "menschenwürdig gestaltete Welt".

4. Die Zukunft der Freiheit - eine nachneuzeitliche Lebenskultur

Christen und Kirchen sind wie alle Menschen auf den Wegen der Geschichte unterwegs und sind nicht vor Stagnation, Rückschlägen und Irrwegen gefeit. Den Umbruch vom Mittelalter zur Neuzeit hat die Christenheit nicht gut bewältigt. Die kirchliche Einheit zerbrach, man kämpfte um Machtpositionen und gegeneinander, eine christliche Inspiration der Neuzeit ist nur wenig gelungen. Ist der Christenheit trotz dieser Fehler und Versäumnisse jetzt eine kraftvolle Mitgestaltung des neuen (Mittel-)Europas, eine Inspiration der Nachneuzeit, eine neue Bewährung der biblischen Berufung zur Kultivierung der Welt zuzutrauen und zuzumuten?

Der große Theologe Nicolaus Cusanus hat mitten in der Umbruchskrise vom Spätmittelalter zur Neuzeit "Gottebenbildlichkeit" mutig als Berufung zum "Mitschöpfer-Sein" interpretiert. Akzent und Orientierung von "Kreativität", "Befreiung" und "Heil" sind in der biblischen Vorstellung von "Gottebenbildlichkeit" allerdings deutlich anders als beim neuzeitlich-prometheischen Beherrschungs-Modell, das sich nicht selten in Grenzenlosigkeits- und Allmachtsillusionen, in Verdrängungs- und Kompensations-Mechanismen verrennt und - davon getrieben - Rücksichtslosigkeiten und Ungerechtigkeiten hervorbringt. Damit meine ich keine pauschale Ablehnung der Neuzeit, beim menschlichen Forschen und Gestalten sollen keineswegs – vermeintlich fromm - vorschnell Grenzen aufgerichtet werden. Unwissenheit und Zufall sind Gott gewiss nicht wohlgefälliger als verantwortliches menschliches Forschen und Gestalten. Aber "am Ende der Neuzeit" sollte klar sein: "Entgrenzung" ist nicht an sich gut, sondern ambivalent. Wenn es nicht gelingt, die Erweiterungsräume zu kultivieren, dann kann sich – politisch, technisch, ökonomisch wie moralisch - ein Überschreiten und Beseitigen von Grenzen sogar destruktiv auswirken. Freiheit ist sicher auch Freisein von Zwang und Mangel, aber mehr noch Freiheit nach vorne, nämlich die Bereitschaft und Fähigkeit, weiterführende Wege zu anstrebenswerten Zielen zu finden, zu bahnen und zu gehen. Wir brauchen den Mut zum klaren Ausblick: Was vor uns liegt, die nachneuzeitliche Zukunft, stellt uns schwierige, riskante und gleichzeitig faszinierende Aufgaben.

4.1 Nachneuzeitliche Lebenskultur – Vision für Europas Zukunft?

Wir brauchen eine Neuorientierung unseres Denkens und Wertens: Die Neuzeit - ein wuchtiger, einseitig-unfertiger Beitrag Europas zur Weltgeschichte - hat hocheffiziente wissenschaftliche, technische und ökonomische Instrumentarien, für viele Menschen eine vorher unvorstellbare Fülle von Gütern und Möglichkeiten verfügbar gemacht. Diese gigantischen Potentiale für menschenwürdige Ziele und Stile zu bändigen, dafür kulturelle Gestaltungen und ökosoziale Steuerungskompetenz zu entwickeln, in der Fülle die richtigen Prioritäten und Proportionen auswählen zu lernen, das sind weitgehend noch schwierige, aber auch faszinierende Zukunftsaufgaben.

Die Neuzeit nahm von engen Lebensverhältnissen, von Ohnmacht, Mangel und Not ihren Ausgang und setzte daher auf Entgrenzung, auf Sprengen traditionaler und naturaler Vorgaben. Fokussiert auf Entgrenzung, schätzt man neuzeitlich das Grenzenlose, das Begrenzte wertet man tendenziell als minderwertig. Heute wissen wir, dass alles in der Welt begrenzt ist. Motivierend wird diese Einsicht erst, wenn wir unser Werten neu orientieren: Das Begrenzte ist – recht betrachtet - nicht minderwertig, sondern einzigartig und kostbar. Begrenztes braucht Achtsamkeit, gekonnten Umgang damit, die Vermeidung von Vergeudung. So betrachtet, kann die Erkenntnis der Begrenztheit nicht nur der Güter, sondern auch der Kräfte, der Zeit, der Jahre und Tage unseres Lebens, eine besondere Wertschätzung, einen kultivierten Umgang damit stimulieren und von bloß quantitativen Orientierungen und oft gedankenlosem Verbrauch zu Qualität und Nachhaltigkeit führen.

Die Neuzeit setzte weitgehend auf die naturwissenschaftlichen Methoden der Spezialisierung und Quantifizierung (Newton: "Alles Messbare messen und alles nicht Messbare messbar machen!"). Jetzt, spätneuzeitlich, wird diese einseitige Akzentsetzung auf immer mehr Lebensbereiche ausgeweitet: Unter den Stichworten "Rationalisierung", "Optimierung", "Effizienz-Steigerung", ... werden Wirtschaft und Gesellschaft einschließlich der Freizeit und der Medizin immer stärker auf das Quantifizierbare, Digitalisierbare, auf "Effizienz", besonders auf "Kapitalerträge" ausgerichtet. Das Nicht-Quantifizierbare, Unverzweckbare, Freie, Schöne, Geschenkhafte, Unkaufbare und Unverkäufliche finden da wenig Raum und Aufmerksamkeit. Wenn diese "Rationalität" und "Effizienz" unser Leben, unsere Zivilisation immer stärker bestimmen, dann werden im gleichen Ausmaß die Menschen auf produzierende und konsumierende Rädchen, auf das Sachhafte, auf Kostenfaktoren und Kalkulationsgrößen reduziert. Das bedeutet eine "Hirn- und Herz-Lähmung", eine heillose Verarmung mitten im materiellen Wohlstand!

Die neuzeitlich-prometheische Orientierung setzt ganz vorrangig auf Schaffen, Leisten und Beherrschen. Das alles ist im Hinblick auf Lebensentfaltung und Freiheit selbstverständlich wichtig. Wenn diese Ausrichtung aber allzu einseitig dominiert, so geht das auf Kosten der Dimension "Beziehung". Nur allzu leicht wird in unserer Leistungsgesellschaft übersehen, dass alles spezifisch Menschliche, die Sprachfähigkeit, die Denkfähigkeit und die Liebesfähigkeit, das Beglückendste im Leben, aus zuvorkommender Beziehung erwächst. Das fängt an beim Kind, in der Geborgenheit einer Familie, das erfahren wir bei jeder Erfahrung echter Freundschaft, von Anerkennung und Wohlwollen, in Mitmenschlichkeit und Liebe, im Beschenkt-Werden und Schenken. Neben der interpersonalen hat dies auch eine gesellschaftliche, ökonomische und politische Dimension: Auch in diesen Bereichen kommt es keineswegs nur auf harte Fakten, Zahlen, Rivalitäten und Dominanzen an, ohne Kooperationen, Vertrauen, Rücksichtsnahmen, ohne Bedachtnahme auf Gerechtigkeit und Gemeinwohl und den Sinn des Ganzen werden Wirtschaft und Politik wertlos und sinnlos, barbarisch.

Die stärksten Infragestellungen von Freiheit, von Sinn und menschlicher Würde sind die menschlichen Grenz- und Ohnmachts-Erfahrungen, von ganz alltäglichen Schwächen über Schicksalsschläge und Krankheiten bis hin zum unausweichlichen Altern und Sterben. Vieles in unseren spätneuzeitlichen Zivilisationen ist unschwer als Kompensieren, Verdrängen und Überspielen der Endlichkeit, als tragische bis lächerliche Illusionen von grenzenloser Leistungsfähigkeit ("Power and Wellness for ever") zu dechiffrieren. Verdrängen oder Kompensieren der Begrenztheit führt nicht zur Freiheit. Ohne Beachtung und Integration des Pathischen, des Begrenzten und Fragilen unserer menschlichen Existenz und schließlich unserer Sterblichkeit gelingt keine unverkürzte, wirklich menschenwürdige Lebenskultur.

Die Entwicklung einer menschenwürdigen nachneuzeitlichen Lebenskultur stellt schwierige, langwierige und riskante Aufgaben. Als Einzelner könnte man da leicht resignieren oder politisch wie religiös auf allzu einfache "Patentrezepte" hereinfallen. Hilfreich und notwendig sind kirchlich, kulturell und politisch "Weggemeinschaften" Gleichgesinnter, Koalitionen human Engagierter, ohne Abkapselung, sondern in Austausch mit der größeren kirchlichen und gesellschaftlichen Gemeinschaft. Große und schwierige Aufgaben lösen bei begrenzten Kräften leicht lähmende Überforderungsgefühle ("Fernzielbeklemmung") aus. Da ist wichtig klar zu stellen: "Nachneuzeitliche Lebenskultur" ist ein epochales Langzeitprogramm, das entsprechende Wege und Zeiträume braucht. Überspringen von Schritten und Wegen geht meist daneben, in der richtigen Richtung ist das Mögliche an Schrittlänge und Tempo das Meiste. Es hilft auf diesen langen Wegen, sich selbst und gegenseitig Zwischenziele vor Augen zu stellen.

4.2 Europa-Modell "Öko-soziale Ordnungspolitik": Gestaltungsmöglichkeiten kleinerer Staaten und Regionen

In den Alltagsmustern ebenso wie in ökonomischen, politischen, pädagogischen, therapeutischen und sogar ethischen

Konzepten verstärken sich derzeit individualistische Tendenzen. Angesichts der notwendigen komplexen Kooperation vieler in hoch entwickelten Gesellschaften und der zunehmenden globalen Vernetzungen von Wissenschaft, Technik und Wirtschaft sind individualistische Freiheitskonzepte aber gefährlich naiv oder sogar gezielte Vernebelung im Dienste ganz anderer Interessen. Gegensteuernd zu diesen Tendenzen brauchen wir viel Aufmerksamkeit und Engagement für die Entwicklung der Strukturen und Institutionen, der Regelsysteme, nach denen Zusammenwirken und Austausch, die Verteilung von Rollen, Chancen und Lasten erfolgt. Diese sind für die Sicherung kultureller und ökosozialer Standards unverzichtbar. In subsidiärer Stufung brauchen wir geeignete Strukturen, Institutionen und Regelsysteme auf den kleinen, mittleren und großen Ebenen, von der Familie und Nachbarschaft über freie Vereinigungen, Kommunen, Bezirke, Regionen, Staaten bis hin zur Europäischen Union, zu globalen Institutionen und Regelsystemen. Haben wir europäisch immerhin die "Baustelle Europäische Union", so stecken wir global noch in den ersten Anfängen.

In den Transitionsstaaten, aber auch in vielen anderen Staaten und weltweit, vergrößern sich die Abstände zwischen arm und reich, zwischen Wendegewinnern und jenen, die von der Wende wenig oder nicht profitieren. Man hört Vorwürfe wie "Sozialabbau" und "Zerstörung des Sozialstaats". "Sozialstaat" wird häufig mit staatlichen "Sozialleistungen", mit "Versorgung" identifiziert. Das ist eine Engführung. Selbstverständlich verstößt es gegen Menschenwürde und Gemeinwohl, wenn Schwache und Bedürftige, die sich nicht selbst helfen können, ohne verlässliche Solidarnetze und ausreichende Sozialleistungen ihrer Not überlassen werden. In einer kultivierten Demokratie darf das nicht passieren. Aber noch wichtiger ist, von vornherein für echte Chancengleichheit und Beteiligung aller in Gesellschaft und Wirtschaft zu sorgen, das Entstehen von Unselbständigkeit, Marginalisierung, Hilfsbedürftigkeit und Not möglichst vorbeugend zu vermeiden. "Sozial" zu einseitig als "Versorgung" zu denken, kann auch Machtausübung von

Funktionären und "Helfern", Abhängighalten und Infantilisierung bedeuten. Es ist sehr erfreulich, dass derzeit viele junge Menschen in Sozialberufe, zu Betreuungsaufgaben tendieren. Viele wollen helfen, stützen, pflegen, reparieren, das ist gut. Aber wir bräuchten auch viele fähige und engagierte Menschen und haben zu wenige, die bereit sind, kompetent und ausdauernd an guten Gestaltungen in Gesellschaft und Wirtschaft zu arbeiten, um Schäden, Not und Abhängigkeiten vorbeugend zu minimieren.

Schon oben wurde klargestellt: Politische Freiheit, offene, pluralistische Demokratie, Wettbewerbsmärkte sind Strukturen und Verfahren zur Erreichung von Zielen, nicht Selbstzweck. Freiheit ist zu unterscheiden von Beliebigkeit und Willkür. Freiheit ist Chance und unabdingbare Pflicht, sich um bestmögliches Verstehen zu bemühen und darauf aufbauend verantwortlich zu handeln. Gemeinwohl, gute soziale Standards, politische und ökonomische Nachhaltigkeit, ökologische Rücksicht und Effizienz sind einander ergänzende Koordinaten für eine menschenwürdige Politik und Wirtschaft. Die Bedingung "Effizienz" verlangt die Transparenz und Nachprüfbarkeit des Mitteleinsatzes beim Anstreben von Zielen. Ohne den Maßstab "Effizienz" werden Ziele wie "Gemeinwohl", "Sozialstaat" nur zu leicht zur unkontrollierbaren Verteilung, zur Leerformel oder Ideologie, mit der man alles Mögliche rechtfertigen möchte. Aber es ist auch sinnlos, Effizienz um der Effizienz willen zu betreiben. **Effizienz ist auf die Erreichung von Zielen bezogen und daran zu werten. Ohne Zweifel brauchen alle Menschen (und auch die Wirtschaft!) ein gut geordnetes Gemeinwesen mit entsprechenden Bildungs-, Gesundheits- und Sozial-Einrichtungen, Rechtssicherheit, Verkehrsinfrastruktur, auch zumindest ein Minimum gemeinsamer Werte und Sinn-Horizonte. Mit der ansteigenden technisch-ökonomischen Effizienz wächst die Bedeutung der Rücksicht auf Umwelt und Nachhaltigkeit.**

Für die Zukunftsfähigkeit unserer Lebensform und unserer gesellschaftlichen Systeme sind die Beachtung der Komplementarität der genannten Koordinaten und deren optimale Koordination durch die gesellschaftlichen Institutionen und Regelsysteme entscheidend. Wir haben derzeit in vielen Bereichen eine Dominanz der Wirtschaft. Das Problem ist aber nicht die Wirtschaft, sondern die persönliche und gesellschaftliche Unfähigkeit zur Balancierung durch die anderen Perspektiven. Die Organisation der Wirtschaft als (globaler) Wettbewerbs-Markt erbringt in vielen Bereichen faszinierende Mobilisierungs- und Koordinationsleistungen. Wenn diese Effizienz aufkosten der sozialen Gerechtigkeit und der Umwelt geht, dann stimmen die Regelungssysteme und Rahmenbedingungen nicht und brauchen entsprechende Änderungen.

Speziell die mitteleuropäischen Demokratien haben in der Nachkriegs-Epoche die für ihre äußere und innere Stabilität notwendige Komplementarität von Effizienz und sozialen Standards in Regelsystemen wie "(Öko-)Soziale Marktwirtschaft" oder "Mixed economy" konkretisiert. "Freie Wirtschaft", "freier Markt" bedeuten eben nicht "Regellosigkeit". Wenn "Markt" eine Kultur-Errungenschaft sein und bleiben will, dann müssen entsprechende Strukturen und Regelsysteme faire Bedingungen für alle Anbieter und Kunden sichern. Wenn Politiker und Wirtschaftsführer in Transitionsstaaten und anderswo einen freien "Markt ohne Adjektive" fordern, so mag das als Reaktion auf kommunistische Zentralverwaltungs-Starre oder überholte (Über-)Regulierungen teilweise verstehbar sein, inhaltlich sind solche Modelle im Hinblick auf die unverzichtbaren Komplementaritäts- und Koordinationserfordernisse nicht tragfähig.

In Österreich haben wir in der Nachkriegszeit bis etwa in die Siebziger-Jahre mit dem politisch-ökonomischen Modell "Soziale Marktwirtschaft" politisch, ökonomisch und ethisch sehr gute Erfahrungen gemacht. Seither hat dieses Modell teils durch "hausgemachte" Erstarrungen und Fehlentwicklungen, vor allem aber durch die zunehmende ökonomische und ökologische Internationalisierung und schließlich durch die Integration in die Europäische Union an Kraft und Reichweite verloren. Ökosoziale Ordnungspolitik mit entsprechenden Strukturen und Regelsystemen ist deshalb aber nicht als überholt beiseite zu schieben, sondern gemäß dem "Subsidiaritätsprinzip" im eigenen Bereich entsprechend zu adaptieren und auf europäischer Ebene intensiv zu betreiben. Angesichts zunehmender Globalisierung wären auch auf Weltebene wirksame ökosoziale Regelsysteme notwendig, aber hier gibt es erst sehr bescheidene Ansätze, allerdings auch zunehmenden Druck in diese Richtung.

Die Transitionsländer in Mittel- und Südosteuropa stehen unter besonderem Druck: Sie müssen gleichzeitig die schwierigen kulturellen, ökonomischen und politischen Umbrüche und Nachholprozesse nach den Jahrzehnten der totalitären Blokkierung, die Bewältigung der Globalisierung und die Integration in die "Großraum-Baustelle Europa" mit unvertrauten Rahmenbedingungen, Werte- und Regelsystemen in allen Lebensbereichen bewältigen. Das bringt viele Menschen und Institutionen an ihre Belastungsgrenzen. Dazu kommt noch der meist asymmetrische Wettbewerb mit westlichen Unternehmen. Diese nützen den Wegfall des "Eisernen Vorhangs" meist rücksichtslos für ihre Interessen als "Markterweiterung". Auch kulturell kommt aus "dem Westen" nicht nur Gutes: Unter der Etikette "Freiheit" exportiert man in "den Osten" oft problematische Produkte und Formen der spätneuzeitlich-seichten Konsum-, Instant- und Spaßzivilisation. Es ist zu verstehen, dass in solchen Lagen Labilität, regressive, restaurative, nationalistische Tendenzen auftreten, nicht wenige zu populistischen Rezepten tendieren, oder ihre Kräfte und Emotionen für Illusionen vergeuden. Hilfreich ist das alles nicht. Die Verantwortlichen und in Führungspositionen und die breite Bevölkerung brauchen unsere Unterstützung durch kompetente sozialethische Forschung und Lehre, durch neues Engagement für breite soziale Bildung, Begegnung, Austausch und Kooperation zwischen den Ländern und Ebenen.

Chancenreich dürfte speziell der Einsatz für eine zukunftsorientierte Regionalentwicklung unter Beachtung der europäischen und globalen Kontexte sein. Unter größer werdenden Dächern brauchen die Menschen die Beheimatung in gut gestalteten überschaubaren, "bewohnbaren" Räumen. In unüberschaubar großen Räumen fühlen sich Menschen ohnmächtig, heimatlos, entwurzelt. Entwurzelte Menschen haben kein gutes Leben, sie werden leicht zu "Treibsand". Deshalb gilt kulturell, politisch und ökonomisch: Auch wenn aufgrund der Entwicklung viele wissenschaftliche und wirtschaftliche Vorgänge nur noch in großräumiger Vernetzung erfolgreich sein können, so kann man nach wie vor vieles im Nahbereich ethisch, kulturell, politisch und wirtschaftlich unternehmen. Kleine und mittlere Betriebe haben sehr wohl Chancen, durch Nützung der Nähe und bessere Kenntnis der Bedürfnisse, durch verschiedene Formen von Spezialisierung und Kooperation. Niemand braucht und soll kulturell, politisch, ökonomisch, ethisch gegenüber Giganten resignieren: Je größer die Großen werden, umso größere Nischen, Chancen, Aufgaben entstehen für konkurrenzfähige Kleine, denn die Großen sind für vieles zu schwerfällig. Das eröffnet Gestaltungsmöglichkeiten und –aufgaben und dafür sind die Menschen sehr wohl motivierbar.

5. Wichtige Aufgaben für Christen und Kirchen

"Neues Europa", "nachneuzeitliche Lebenskultur" sind nicht bloß politische, ökonomische und kulturelle Projekte, sie sind auf transzendente Wurzeln und Horizonte angewiesen und sind wesentliche Herausforderungen für Christen und Kirchen, Bewährungsfelder für gesellschaftliche Relevanz und Zukunftsfähigkeit. Oben wurde "Globalisierung" in Analogie zur "Industriellen Revolution" im 19. Jahrhundert als neue, jetzt globale wissenschaftlich-technische, soziale und kulturelle Revolution charakterisiert. Wir können und sollen aus den guten wie schlechten Erfahrungen dieser ersten "Industriellen Revolution" lernen. Christen haben damals für die Entwurzelten und

Verarmten sehr viel caritative Nothilfe geleistet, es gab dort und da christliche Sozialpioniere und Sozialbewegungen, sogar einzelne sozial engagierte Bischöfe. Aber insgesamt muss festgestellt werden: Die Kirchen haben damals die Vorgänge nicht rechtzeitig richtig verstanden und bei der strukturellen Bewältigung dieses Umbruchs folgenreich versagt. Man war zu sehr rückwärtsorientiert, mit den alten Zeiten, Formen und Machtpositionen verwachsen, begriff erst spät die mentalen und strukturalen Gestaltungsaufgaben des neuen Industriezeitalters. Der "Sozialstaat" des 20. Jahrhunderts war keine kirchliche Erfindung, diesen haben überwiegend andere erdacht und errungen. Jetzt ist eine mindestens ebenso folgenreiche Umwälzung wie im 19. Jahrhundert in gang. Machen wir es dieses Mal besser, oder stolpern wir wieder in ähnliche Fehler? Das wäre tragisch, denn die Gegenwart und Zukunft brauchen dringend fundierte christliche Hoffnung und Orientierung und die gebündelte Kraftanstrengung der Kirche.

Bei der Skizzierung der "Globalisierung" wurde auf die neue Qualität ethischer Verantwortung angesichts der entstandenen Lage (globale wissenschaftliche und wirtschaftliche Vernetzung, weltbewegende Kräfte, Lebenssteuerungen und Erbgut in menschlichen Händen) aufmerksam gemacht. Nachdem "die Welt" und "die Natur" aufgrund der erreichten menschlichen Effizienz nicht mehr als unangreifbar stabile, sich selbst regulierende Basis unseres Lebens und Handelns vorausgesetzt werden können, liegt die Verantwortlichkeit für die globale ökosoziale Balancierung, für eine nachhaltig zukunftsfähige Lebenskultur individuell und gesellschaftlich auf menschlichen Schultern. Viele sind sehr skeptisch, ob Menschen dieser Verantwortung schnell genug oder überhaupt gewachsen sein werden. Deshalb ist die Nachneuzeit im Unterschied zur auslaufenden Neuzeit hoffnungsarm und orientierungsunsicher.

Nicht nur in den Transitionsländern, auch in den westeuropäischen Demokratien hat die Einsatzbereitschaft für anspruchsvolle Freiheit nachgelassen. Die bisherigen Zielsetzungen haben sich erschöpft, der Horizont verengt sich auf die unmittelbaren Interessen des Egos, viele verstehen unter Freiheit "tun zu können, was man gerade will". Solche Vorstellungen, die eher Beliebigkeit, Willkür und Abhängigkeit von Stimmungen definieren als echte Freiheit, sind in trivialen Formen aber auch Lebenskonzepten weit verbreitet. Die davon abhängige Politik orientiert sich, zusätzlich gepresst vom Druck der von Auflagenhöhen und Einschaltzahlen getriebenen Medien, zu sehr an schnellen Erfolgen und ist daher geneigt, illusionäre Freiheitskonzepte vorzugaukeln. Alltagsmuster, Gegenwartsphilosophie, Literatur und Kunst sind zunehmend von "postmoderne Gleich-Gültigkeit" gekennzeichnet. Gegensätzliches koexistiert fraglos nebeneinander, geistige Anstrengungen zur Klärung und Unterscheidung sind wenig gefragt. Das sind typische Muster von skeptischen Spätphasen, von Übergangsperioden zwischen Epochen. Gleich-Gültigkeit führt allerdings nicht selten zu Gleichgültigkeit, Beliebigkeit, zu Antriebsschwäche oder Hektik, zu banaler Zerstreuung.

Echte Freiheit ist persönlich und gesellschaftlich anspruchsvoll und auch riskant. Menschen, Gruppen, Gesellschaften, die das nicht wahrnehmen und aushalten, haben Angst vor der Freiheit und verlieren an Freiheit. Hoffnungsarme und orientierungsunsichere Menschen sind potentiell gefährlich, jedenfalls werden sie kaum die Kräfte für die erforderliche Ausrichtung der gigantischen, oft eigenläufig gewordenen wissenschaftlich-technisch-ökonomischen Potentiale auf menschenwürdige Ziele und Stile mobilisieren und bündeln. Deshalb melden sich neuerdings wieder ganz stark transzendente Fragen und Sehnsüchte. Im Kern geht es in neuer Zuspitzung um die uralten Fragen: Was ist der Mensch? Woher kommen, wohin gehen wir Menschen? Gibt es begründete Hoffnung auf eine menschenwürdige Welt und auf Heil über den Tod hinaus? Gelingt es uns gegenüber dieser aktuellen Zuspitzung der Fragen die biblische Botschaft von Befreiung und Heil, die nicht auf Beherrschung, sondern auf Beziehung setzt, in der offen-pluralistischen Gesellschaft nach dem Scheitern der Totalitarismen und prometheischen Hoffnungen, in der anbrechenden Nachneuzeit zu leben und glaubwürdig weiter zu geben? Entwickeln wir genügend Kompetenz, um die komplexen wissenschaftlich-technisch-ökonomischen Entwicklungen angemessen zu interpretieren und genügend Kreativität und Kraft für zukunftsfähiges Gestalten an den persönlich und gesellschaftlich entscheidenden Stellen? Oder jammern wir nur rückwärtsgewandt-steril über den Stand und Gang der Dinge?

Mehrfach wurde auf die hohe Belastung, oft sogar Überforderung der Menschen durch die gewaltigen gleichzeitigen Umbrüche hingewiesen. Auch religiös gilt: Allein kommen damit vielleicht ein paar Heroen zurecht. Ganz wichtig und für "normale Leute" kaum ersetzbar sind in solcher Lage stützende, bergende, aber auch ermutigende, auftreibende "Weggemeinschaften der Glaubenden". Bewähren sich da unsere kirchlichen Einrichtungen und die Kirche insgesamt, inspiriert vom göttlichen Geist, als einladende, menschenfreundliche Weg-Gemeinschaft, in der man zu Atem kommt, echtes Miteinander erlebt, Hoffung, Ermutigung und Orientierung findet? Mit Freude und Dankbarkeit ist festzustellen, dass unsere Kirche wie zu allen Zeiten Großartiges in der Caritas, in der Fürsorge für Arme und Schwache leistet. Befähigt und ermutigt sie aber auch zum Rudern durch die Umbruchsstürme? Bewährt sie sich in den vorherrschenden globalisierten, pluralistischen, postmodernen gesellschaftlichen Lagen oder zieht man sich zu defensiv in "bergende Häfen" zurück?

Die empirischen Studien über die kirchlichen Entwicklungen müssen uns aufschrecken: In den modernen Gesellschaften, im "Westen" und auch in vielen Transitionsländern, in denen man unter der totalitären Strangulierung tapfer durchgehalten hat, kommt die Kirche mit der offenen, pluralistischen Lage, mit der Freiheit und den neuen Herausforderungen schlecht zurecht, verliert deutlich an Terrain und Kompetenz, speziell bei jüngeren Menschen. Dabei wächst nachweisbar überall das Interesse für Transzendenz, für Religiöses. Aber es gelingt offensichtlich unserer Kirche nicht gut, für diese Suchenden einladend und kompetent da zu sein. Es geht nicht um oberflächliche Anpassung an den Zeitgeist, sondern es stellt sich die Frage, ob man nicht wieder einmal zu sehr rückwärtsgewandt längst überfällige kirchliche Strukturreformen und das Mitgestalten neuer Verhältnisse versäumt und den Menschen dadurch viel schuldig bleibt. Die biblische Warnung ist deutlich: Wer "mit der Hand am Pflug" nur auf alte Besitzstände und Formen zurückschaut, statt fruchtbare Furchen nach vorne zu ziehen, entspricht nicht dem Gottesreich! (vgl. Lk. 9,62)

Ich denke, es ist deutlich geworden: Das jetzt mögliche neue Europa in Freiheit und Gerechtigkeit braucht eine "Seele", religiöse "Tiefe" und "Weite", lebendige Christen und Kirchen, kompetente sozialethische Beiträge und soziale Bildung. Vaclav Havel, die eindrucksvolle Persönlichkeit in der kommunistischen Unterdrückung und in der Transition, hat das unlängst mit glaubwürdig-unaufdringlicher Deutlichkeit ausgedrückt: Ohne transzendenten Bezug hätte er (in Kerker und Folter) nicht durchzuhalten vermocht und er könnte es auch jetzt nicht (schwer krank, in der frustrierenden Dauerbelastung seines Amtes). Der transzendente Bezug gebe ihm aber auch die nötige Gelassenheit und schütze ihn vor Fanatismus.

Quellen und weiterführende Literatur:

Angesichts elektronisch verfügbarer Kataloge und Datenbanken haben lange Literaturlisten wenig Sinn. Deshalb führe ich Literatur nur exempliative an. Eine weitere Quelle sind meine Lehr- und Weiterbildungs-Erfahrungen in West- und Ost-Mitteleuropa.

A. Anzenbacher: Einführung in die Ethik. Düsseldorf 1992, tschechisch: Úvod do etiky. Praha 1994. L. Honnefelder, G. Krieger (Hg.): Philosophische Propädeutik. Bd. 2 Ethik. UTB 1859. Paderborn 1996. Z. Baumann: Postmoderne Ethik. Hamburg 1995. A. Anzenbacher: Christliche Sozialethik. Einführung und Prinzipien. Paderborn 1998. B. Sutor: Politische Ethik. Paderborn 2/1992. Tschechisch: Politická etika. Praha 1996.

C. Ch. v. Weizsäcker: Logik der Globalisierung. Göttingen 1999. W. Greider: One World, Ready or Not. The Manic Logic of Global Capitalism. New York 1997. U. Menzel: Globalisierung versus Fragmentierung. Frankfurt 1998. E. Luttwark: Turbo Capitalism. Winners and Losers in the Global Economy. Harper Collins 1998. F. Hengsbach: Die andern im Blick. Christliche Gesellschaftsethik in den Zeiten der Globalisierung. Darmstadt 2001. U. Beck: Risikogesellschaft. Auf dem Weg in eine andere Moderne. Frankfurt 1986 u.ö. O. Höffe: Moral als Preis der Moderne. Ein Versuch über Wissenschaft, Technik und Umwelt. Frankfurt 2/1993. G. Mantovani: Was der Computer mit uns macht. Sozialpsychologische Aspekte der Kommunikation mit und durch den Computer. Mainz 1994. Th. Hausmanninger, R. Scheule (Hg.): ... geklont am 8. Schöpfungstag. Gentechnologie im interdisziplinären Gespräch. Augsburg 1999. H. Renöckl: Genová technika - etické výzvy vyspelé technologie. In: Teologické studie. České Budejovice 2000.

P. Gerlich, F. Plasser, P.A. Ulram (Hg.): Regimewechsel. Demokratisierung und politische Kultur in Osteuropa. Wien 1992. J. Juchler: Osteuropa im Umbruch. Politische, wirtschaftliche und gesellschaftliche Entwicklungen 1989 - 1993. Zürich 1994. C. Reinprecht: Nostalgie und Amnesie. Bewertungen von Vergangenheit in der tschechischen Republik und in Ungarn. Wien 1996. R. Engel: Der harte Weg nach Europa. Wien 1999, darin S 272-284 weitere einschlägige Literaturhinweise. C. Martinek (Hg.): Socialny-eticky pohled na ekonomickou transformaci v Česke republice. Velehrad 1998. Zur ökonomischen Transformation stütze ich mich auf die laufenden Studien des Forschungsinstituts für Europafragen der Wirtschaftsuniversität Wien unter Leitung von Prof. F. Breuss. Zur psychosozialen Lage ist Durkheims Anomie-These ein relevantes Interpretationsmodell: E. Durkheim: Le Suicide, Paris 1897 (Deutsche Neuausgabe Neuwied 1973). H. Renöckl: Čím přispivá naše teologie k budnoucnosti České republiky? In: T. Machula(Hg.): Deset let Teologické fakulty Jihočeské university. České Budejovice 2001.

W. Korff u. a. (Hg.): Handbuch der Wirtschaftsethik. 4 Bde. Gütersloh 1999. P. Koslowski: Wirtschaft als Kultur. Wien

1989. K. Homann, F. Blome-Drees: Wirtschafts- und Unternehmensethik. UTB 1721. Göttingen 1992. H. Pribyl (Hg.): Shareholder-value. Wien 2000. P. Ulrich: Integative Wirtschaftsethik. Grundlagen einer lebensdienlichen Ökonomie. Bern 2001. H. Ch. Binswanger: Die Glaubensgemeinschaft der Ökonomen. Essays zur Kultur der Wirtschaft. München 1998. B. Biervert, M. Held (Hg.): Das Menschenbild der ökonomischen Theorie. Zur Natur des Menschen. Frankfurt 1991.

K. Remele: Tanz um das goldene Selbst? Therapiegesellschaft, Selbstverwirklichung und Gemeinwohl. Graz 2001. G. Theissen: Der Schatten des Galiläers. Historische Jesusforschung in erzählender Form. München 9/1990. J. Werbick: Vom entscheidend und unterscheidend Christlichen. Düsseldorf 1992. B. Fraling: Vom Ethos der Bibel zu biblischer Ethik. Thaur 1999. H. Renöckl, M. Blanckenstein (Hg.): Neue Religiosität fasziniert und verwirrt. Budapest-Würzburg ²2001. M. Tomka, P. M. Zulehner (Hg.): Religion in den Reformländern Ost(Mittel)Europas. Ostfildern 1999 ff. Bd. 2 L. Prudký u.a. Tschechien, Kroatien, Polen. Ostfildern 2001. S. Žižek: das fragliche Absolute. Warum es sich lohnt, das christliche Erbe zu verteidigen. Berlin 2000. N. Brieskorn: Menschenrechte. Eine philosophisch-historische Grundlegung. Stuttgart 1997.

Erweiterung der Europäischen Union – Österreichs Interessen und Chancen

von Martin Sajdik

Österreich als jener Staat, der an mehr Länder unter den derzeitigen Beitrittskandidaten aus Mittel- und Osteuropa grenzt als alle anderen Mitgliedstaaten der EU, nämlich vier, und dessen Grenze zum Größten unter ihnen, Polen nur 200 Kilometer entfernt ist, kennt den historischen Hintergrund aus eigener Erfahrung sehr gut. Österreich war das erste Zielland für die Flüchtlinge aus Ungarn im Jahre 1956, für die Flüchtlinge aus der Tschechoslowakei aus dem Jahre 1968, sowie für die Flüchtlinge aus Ex-Jugoslawien in den Kriegsjahren nach 1991. Aufgrund der engen politischen und wirtschaftlichen Beziehungen zu unseren einstmals sozialistischen Nachbarn, die wir als neutraler Staat in den Jahren nach der Unterzeichnung des österreichischen Staatsvertrages im Jahre 1955 entwickeln konnten, hatten und haben wir Österreicher ein wirklich großes Wissen über unsere mittel- und osteuropäischen Nachbarn. Dieses Wissen ist in einer beachtlichen Breite vorhanden, sind doch vor allem im Osten unseres Landes, im Großraum Wien, viele Tausende Unternehmen in engem wirtschaftlichen Kontakt mit den Beitrittskandidaten.

Ein paar Zahlen zur Untermauerung dieser These: Der Handel Österreichs mit den Staaten Mittel- und Osteuropas hat sich seit 1991 mehr als verdoppelt und nach Schätzungen des Wiener Instituts für Internationale Wirtschaftsvergleiche (WIIW) mehr als 60.000 zusätzliche Arbeitskräfte in unserem Land geschaffen.

Österreichische Firmen haben in den vergangenen 10 Jahren mehr als 5 Mrd. US-Dollar in den MOEL investiert, alleine in Slowenien 1,1 Mrd. US-Dollar in 700 Projekte. Österreich ist somit größter Investor in Slowenien, an zweiter Stelle in der Slowakei, drittgrößter Investor in Ungarn und bereits mit mehr als 800 Firmenniederlassungen in Kroatien vertreten.

Ungarn ist - um ein zusätzliches Beispiel anzuführen - mittlerweile unser viertwichtigster Exportmarkt. Des Weiteren: Österreichs Firmen exportieren vergleichsweise mehr in das kleine Land Slowenien mit seinen 2 Mio. Einwohnern als nach Russland oder ganz Afrika.

Nun befinden sich die Verhandlungen, die mit einer ersten Gruppe von Beitrittskandidaten bereits unter österreichischem Ratsvorsitz 1998 begonnen wurden, knapp vor der Zielgeraden. Erfreulich ist es ebenfalls, dass es vier Staaten der so genannten Helsinki-Gruppe, mit denen die Verhandlungen erst im Jahr 2000 eröffnet wurden, gelungen, ist, zur ersten Gruppe aufzuschließen.

Welche Kapitel in den einzelnen Verhandlungsrunden auf die Tagesordnung kommen, bestimmen allerdings in erster Linie die Beitrittskandidaten, und zwar indem sie ausreichende Auskünfte vorlegen und, soweit erforderlich, nicht verhandlungsfähige Forderungen modifizieren bzw. für die Umsetzung ausständiger Reformen Sorge tragen. Im Rat werden nach wie vor nur dann EU-Positionen intern bearbeitet, wenn die EK dafür Entwürfe vorlegt.

In den EU-Positionen kann ein vorläufiger Abschluss eines Kapitels nur vorgeschlagen werden. Ob der Verhandlungsabschluss auf der Grundlage der EU-Position tatsächlich erzielt werden kann, hängt von der Zustimmung des Kandidaten ab.

Besonders im Jahr 2001 konnten unter schwedischem und später unter belgischem Vorsitz eine Reihe wichtiger Kapitel abgeschlossen werden. Die am Europäischen Rat von Nizza festgelegten Ziele konnten damit erreicht und zum Teil sogar übertroffen werden.

Zu den aus österreichischer Sicht besonders wichtigen Kapitel zählte dabei der freie Personenverkehr. Österreich konnte durch die Vorlage zahlreicher wissenschaftlicher Studien über die Einkommensunterschiede zwischen Beitrittskandidaten und Mitgliedsstaaten eine erhöhte Sensibilität für die Problematik möglicher Destabilisierungen in den Arbeitsmärkten vor allem grenznaher Gebiete erreichen. Dabei wurde auf das Migrations- vor allem aber auch auf das Pendlerpotential hingewiesen. Schließlich war es möglich, eine flexible, mehrstufige, bis zu siebenjährige Übergangsfrist im Bereich der Personenfreizügigkeit für Arbeitnehmer erreicht werden. Begleitend dazu gelang es, Einigung über Übergangsfristen für den Freien Dienstleistungsverkehr in bestimmten sensiblen Branchen zu erzielen.

Unter schwedischem Vorsitz war es zudem möglich, andere wichtige Kapitel wie das Umweltkapitel, sowie Freier Kapitalverkehr, Sozialpolitik und Gesellschaftsrecht mit einem Großteil der Beitrittskandidaten abzuschließen.

Unter der Präsidentschaft Belgiens im zweiten Halbjahr des Vorjahres wurden die Kapitel Zollunion, Finanzkontrolle und Verkehr weitgehend abgeschlossen, wobei die Erklärung des Europäischen Rates von Laeken, die eine Nachfolgeregelung für den Ende 2003 auslaufenden Transitvertrag für Österreich einen wichtigen Erfolge darstellte. Auch im sensiblen Energiekapitel wurden große Verhandlungsfortschritte erzielt. Zum ersten Mal war dabei das Thema nukleare Sicherheit Gegenstand der Verhandlungen in der Union. Dabei konnte Einigung über verbindliche Schließungsdaten für die nicht nachrüstbaren AKWs in der Slowakei und Litauen erzielt werden. Zudem konnte aufgrund der Brüsseler Einigung über den Melker Prozess das Energiekapitel auch mit der Tschechischen Republik vorläufig abgeschlossen werden.

Eine Reihe technischer Fragen im Bereich der sensiblen Bestimmungen des Veterinär- und Pflanzenschutzacquis konnten ebenfalls im vergangenen Halbjahr in den Verhandlungen gelöst werden. Auch in den Kapiteln Justiz und Inneres sowie Wettbewerb konnten beträchtliche Fortschritte erzielt werden. Dabei ist zu bemerken, dass beide Kapitel die Beitrittskandidaten vor große Herausforderungen stellen. Im Bereich Justiz und Inneres werden einschneidende Reformen der Exekutive sowie beträchtliche Investitionen vor allem in den Schutz der künftige Eu-Außengrenzen gefordert. Der Wettbewerbsacquis wiederum fordert die Umstellung bestehender Beihilferegelungen, vor allem bei der Restrukturierung der maroden Stahlindustrie und anderer Industriezweige, die mit schmerzlichen sozialen Konsequenzen verbunden sind.

In der laufenden spanischen Präsidentschaft sind noch weitere Hürden in den Verhandlungen zu nehmen, doch ist klar, dass die in Nizza gesetzten ehrgeizigen Zeitvorgaben keineswegs unrealistisch sind. Offen bleiben vor allem jene Kapitel, die von besonderer budgetärer Relevanz sind: Regionalpolitik, Budget und Landwirtschaft. Zudem müssen eine Vielzahl einzelner, mit individuellen Beitrittskandidaten noch offener Fragen rasch gelöst werden.

Für den operativen Bereich sind unter der aktuellen spanischen Präsidentschaft folgende Bereiche von besonderer Relevanz:

1. Behandlung jener Verhandlungskapitel, die gemäß der Road Map bereits vorläufig hätten abgeschlossen werden sollen, insbesondere mit jenen zehn Kandidatenländern, die gemäß dem Europäischen Rat von Laeken voraussichtlich der ersten Erweiterungsrunde angehören werden.
2. Eröffnung aller noch nicht eröffneten Verhandlungskapitel mit Bulgarien und einer größtmöglichen Anzahl mit Rumänien.
3. Erstellung der Gemeinsamen Standpunkte zu den Verhandlungskapiteln "Regional- und Strukturpolitik", "Landwirtschaft", "Budget", "Institutionen" sowie "Sonstiges". Die Europäische Kommission hat am 30. 1. 2002 dem Rat Vorschläge über die Finanzierung der Erweiterung für die Jahre 2004 bis 2006 präsentiert. Diese Vorschläge werden als Grundlage für unionsinterne Beratungen dienen. Auf Ratsarbeitsgruppenebene wird weiterhin ausschließlich die (um Experten erweiterte) Ratsarbeitsgruppe Erweiterung für die unionsinternen Beratungen über Draft Common Positions zu allen Verhandlungskapiteln federführend zuständig bleiben.
4. Ebenso wird unter der jetzigen Präsidentschaft mit der Redigierung des Beitrittsvertrags für alle 10 Kandidatenländer begonnen werden. Mit dieser Aufgabe wird eine der RAG Erweiterung unterstellte, eigens eingerichtete AD-HOC-GRUPPE „ABFASSUNG DES BEITRITTSVERTRAGS“ betraut werden.

Der Fahrplan von Nizza sieht den Abschluss der Verhandlungen im Dezember dieses Jahres unter dänischem Vorsitz vor, womit einer ersten Gruppe von Kandidatenstaaten ein Beitritt im Jahr 2004, rechtzeitig zur Teilnahme an den Wahlen zum Europäischen Parlament ermöglicht werden soll.

Der Dynamik in den Verhandlungen müssen aber auch kontinuierliche Fortschritte in den BK bei der Umsetzung, der Anwendung und der Durchsetzung des Besitzstands gegenüberstehen. Die BK müssen ein besonderes Augenmerk auf die Schaffung angemessener Verwaltungsstrukturen, die Reform des Rechtssystems und des öffentlichen Dienstes sowie die Situation der Minderheiten richten.

Die Kommission überwacht die Reformleistungen dieser Staaten laufend ("Monitoring"). Die EK hat Anfang Juni 2001 auf den aktuellen Stand gebrachte tabellarische Übersichten über jedes einzelne Dossier, sog. "Monitoring Tables", sowie zusammenfassende "Monitoring – Berichte" über jeden BK vorgelegt. Die Monitoringtables wurden im Herbst 2001 aktualisiert. Neuer Acquis und aktuelle Auskünfte über die Reformleistungen in den BK fließen schrittweise in die weiteren Verhandlungen ein.

In ihrem Strategiepapier vom 13. 11. 2001 hat die EK die Schaffung eines neuen Instrumentes zum bestehenden Monitoring-Prozeß angeregt. In bestimmten Bereichen (Justiz und Inneres, Nukleare Sicherheit, Kapitalmarkt) soll unter Einbeziehung von Experten der MS im Rahmen des so genannten peer review die Vorbereitungen der Kandidatenländer bei der Übernahme und Umsetzung des Acquis überprüft werden. Zu diesem Zwecke wird die EK mit den Kandidatenländern bilaterale Aktionsprogramme erstellen, die eine zeitliche Abfolge über die einzelnen Umsetzungsschritte bestimmter Acquis-Bereiche zum Inhalt haben. Die EK wird dem Europäischen Rat von Sevilla im Juni 2002 über die Umsetzung dieser Aktionspläne Bericht erstatten.

Wie jedes Jahr wird die EK auch im Oktober 2002 einen Fortschrittsbericht über jeden BK vorlegen. Die heurigen Fortschrittsberichte werden unter anderem Empfehlungen der EK über die "Beitrittsreife" der einzelnen Kandidatenländer zum Inhalt haben und entscheidend für die Zusammensetzung der ersten Erweiterungsrunde sein.

Es ist unbestritten, dass die Erweiterung einen wesentlichen Stabilitätsgewinn für ganz Europa bringen wird. Mit der Einbindung der Kandidatenstaaten in die Europäische Union erweitern wir zugleich die europäische Stabilitätszone auf unsere Nachbarstaaten im Osten aus. Österreich rückt somit von Peripherie in das Zentrum dieser Stabilitätszone. Gerade die jüngsten Ereignisse in den USA zeigen, wie wichtig es ist, dass die Gemeinschaft europäischer Staaten in einer schwierigen Situation zusammenhält.

Gegenwärtig haben wir in den Beitrittsverhandlungen mehr als zwei Drittel der Verhandlungsmasse bereits behandelt. Ich bin daher zuversichtlich, dass vor Ende dieses Jahres die Beitrittsverhandlungen mit den am weitest fortgeschrittenen Kandidatenländer abgeschlossen werden können und dass die ersten Beitritte im Jahre 2004 stattfinden werden.

Die Europäische Union – der Dialog mit den Religionen, Kirchen und Weltanschauungen

von Michael Weninger

Nach den furchtbaren Verwüstungen, welche der Zweiten Weltkrieg über Europa gebracht hatte, galt es, die Gräben – auch in den Herzen der Menschen - zu beseitigen, die Folgen dieser Tragödie zu lindern, dieses Europa wiederaufzubauen und den Menschen Hoffnung und Zukunftsperspektiven zu geben.

Es war also das Ziel, nicht nur ein neues, prosperierendes, zukunftsgerichtetes Europa zu schaffen sondern gleichzeitig mit der Beseitigung des Kriegsschutts und der Besorgung der alltäglichen Lebens- und Überlebensbedürfnisse ein für allemal zu verhindern, dass jemals wieder ein europäischer Krieg von Weltdimension losgebrochen werden könne.

Um die Voraussetzungen hiefür zu schaffen, war es das Anliegen der Gründerväter Europas:

1.) einen Integrationsprozess von gesamteuropäischer Dimension in Gang zu setzen und

2.) die Kontrolle über kriegsrelevante Ressourcen zu erhalten.

Diesem Zweck diente die Einrichtung der Europäischen Gemeinschaft für Kohle und Stahl (welche nach 50-jährigem Bestand 2002 vertragsgemäß ihr Ende fand), der Europäischen Wirtschaftsgemeinschaft und der Europäischen Atombehörde.

Durch den Vertrag von Amsterdam, welcher am 1. Mai 1999 in Kraft trat, wurden diese drei Gemeinschaften zusammengefasst und gleichzeitig auch die Europäische Union gegründet.

Von allem Anfang an, war dieser europäische Integrationsprozess zwar von Christen initiiert, und gewiss von einem tiefen christlichen Humanismus inspiriert, aber letztlich von politisch-strategischen Überlegungen geleitet und – wenn man es so formulieren will – von eindeutig säkularem Charakter bestimmt. Den Religionen und Kirchen kam zu Beginn dieses Integrationsprozesses keine, oder wenn schon, nur eine rudimentäre und damit untergeordnete Rolle zu. Ein Faktum, dass sich allerdings später wesentlich ändern sollte.

Die fünf Jahrzehnte, welche seither vergangen sind, stellen eine beispiellose Erfolgsgeschichte dar. Aus den ersten Europäischen Gemeinschaften konnte sich ein vereintes Europa mit fünfzehn Mitgliedsstaaten entwickeln, welches sich nun anschickt, um weitere zehn ein gutes Stück vervollständigt zu werden.

Nicht wenige, vor allem aber nicht unmaßgebliche Stimmen, sind trotz Allem der Auffassung, dass die Europäische Union aufgrund ihrer Genese eben eine politische, eine wirtschafts- und finanzpolitische, vielleicht auch eine verteidigungs- und sicherheitspolitische Organisation, bestimmt aber keine sei, in welcher für die Religionen und Kirchen ein sinnvoller Platz vorhanden wäre.

Dieser Meinung kann und muss entschieden begegnet werden.

Der Europäischen Union als eine Familieneinheit der Staaten und Bürger Europas wohnt wesensgemäß eine religiöse Dimension inne, ist ein religiöses Erbe eigen. Möge dies Faktum auch umstritten sein, mitunter mangelhaft artikuliert oder sogar ignoriert, so ist es dennoch Wirklichkeit.

Es ist eine Tatsache, dass die weit überwiegende Mehrheit der EU-Bürger religiös ist. Unabhängig von der Frage, welcher Religion und welcher Kirche diese Menschen angehören, auch unberücksichtigt der mehr oder weniger stark ausgeprägten institutionellen Bindung an die traditionellen Kirchen und der oft diffusen religiösen Praxis mancher Gläubigen, darf dennoch festgehalten werden, dass das vereinte Europa weithin religiös bestimmt ist.

Europa gründet auf einem religiösen Erbe, so wie es eine Seele Europas gibt.

Diese religiöse Grundbefindlichkeit erfreut sich jedoch nur einer rudimentären institutionellen Entsprechung im Netzwerk der Organisationen, im Geflecht der Institutionen der EU. Sie ist aber auch nahezu nicht präsent im Primärrecht der EU, welches nur ganz wenige und nur sehr allgemein gehaltene religionsrechtliche Bestimmungen kennt. Allerdings hat sich im sekundärrechtlichen Bereich, zumeist Erkenntnisse des Europäischen Gerichtshofes, Entschließungen des Europäischen Parlaments, Beschlüsse des Europäischen Rats und der Kommission, so etwas wie ein corpus iuridicum herausgebildet.

Hinsichtlich des Religionsrechts und der -politik liegen die Kompetenzen bei den einzelnen Mitgliedsstaaten. Dies ist eindeutig festgehalten in der berühmten Erklärung Nr. 11 zum Vertrag von Amsterdam. Sie lautet: "Die Europäische Union achtet den Status, den Kirchen und religiöse Vereinigungen oder Gemeinschaften in den Mitgliedstaaten nach deren Rechtsvorschriften genießen, und beeinträchtigt ihn nicht. Die Europäische Union achtet den Status von weltanschaulichen Gemeinschaften in gleicher Weise".

Diese Erklärung und einige wenige weitere Dokumente belegen die mangelhafte religionsrechtliche Kompetenz der Europäischen Kommission. Dies heißt aber nicht, dass sie deshalb religionsfeindlich wäre. Sie kann positiv verstanden werden als institutionell wertneutral und in der Praxis als durchaus religionsfreundlich.

Die Europäische Kommission respektiert und fördert die religiösen Institutionen auf verschiedene Weise. Die Souveränitätsrechte der Mitgliedsstaaten stehen dem nicht entgegen. Die Europäische Union ist dem Dialog mit den Religionen und Kirchen, auch dem institutionalisierten und strukturierten, durchaus verpflichtet.

Nicht zuletzt aus diesem Grund hat die Europäische Kommission den so genannten Politischen Beraterstab beim Präsidenten der EK eingerichtet, welcher neben der Außenpolitik, der Wirtschafts- und Finanzpolitik sowie der Institutionenreform über eine eigene Abteilung für den Dialog mit den Religionen und Kirchen verfügt.

Umgekehrt sind die Religionen, Kirchen und Weltanschauungen in Brüssel mit zahlreichen Repräsentanzen vertreten. Sie besitzen allerdings mit Ausnahme des Päpstlichen Nuntius, welcher auf Grundlage eines völkerrechtlichen Vertrages tätig ist, keinen rechtlichen Verpflichtungscharakter. Der Dialog mit ihnen vollzieht sich daher auf rein freiwilliger Basis, wenngleich mit echter Überzeugung.

Aus der Sicht des Verfassers, der gleichzeitig der Verantwortliche im Politischen Beraterstab für den Dialog mit den Religionen und Kirchen ist, verfügt die Römisch-Katholische Kirche über die effizienteste Vertretungsstruktur. Sie ist auf zweifache Weise gegenüber den Europäischen Institutionen präsent. Zum einen durch den Apostolischen Nuntius, welcher die Anliegen des Heiligen Stuhls vermittelt und zum anderen durch die Kommission der Nationalen Bischofskonferenzen (COMECE), welche die Bedürfnisse, Sorgen und Wünsche der Ortskirchen formuliert. Ein perfektes Doppelpassspiel also, wenn man so sagen darf.

Die Protestantischen Kirchen wieder werden einerseits durch die Konferenz der Europäischen Kirchen (KEK), welche insgesamt 127 Kirchen und Konfessionen versammelt, sowie andererseits durch das Büro der Evangelischen Kirche Deutschlands (EKD) repräsentiert.

Die Anliegen der Orthodoxen Kirchen werden in Brüssel durch die Permanente Missionen des Ökumenischen Patriarchen von Konstantinopel, der Griechisch-Orthodoxen Kirche und der Russisch-Orthodoxen Kirche zur Geltung gebracht.

Die Jüdischen Gemeinden kennen ebenfalls eine Doppelstruktur : Sofern es sich um politische Fragen handelt, werden diese vom Europabüro des Jüdischen Weltkongresses und hinsichtlich der religiösen Anliegen von der Konferenz der Europäischen Großrabbiner wahrgenommen.

Der Buddhismus und sonstige Religionsgemeinschaften erfreuen sich ebenfalls eigener Büros.

Eine besondere Rolle kommt hinsichtlich des Dialoges mit den Religionen und Kirchen der Initiative "Eine Seele für Europa" zu, welche vom seinerzeitigen Präsidenten der Europäischen Kommission, Jacques Delors, ins Leben gerufen wurde und vom gegenwärtigen Präsidenten, Romano Prodi, unterstützt wird. Diese Initiative versammelt die großen Weltreligionen und die Föderation der Europäischen Humanisten.

Etwas schwierig gestaltet sich das Verhältnis zu den Muslimischen Gemeinschaften. Nach vorsichtigen Schätzungen leben in den fünfzehn EU-Mitgliedsstaaten derzeit rund 15 Millionen Muslime. Von äußerster Wichtigkeit ist diesbezüglich, zu erkennen, dass es nicht nur einen Islam sondern mehrere Islame gibt sowie eine Überfülle von Muslimischen Gemeinschaften. Sie unterscheiden sich fundamental voneinander. Ihre Unterschiede sind durch die Sprache begründet, die Kultur, die Tradition, die Rückbindung an politischen Parteien der Herkunftsländer sowie durch den Grad der Bereitschaft als auch Fähigkeit, sich in die europäische Wirklichkeit zu integrieren. Der Verfasser dieser Zeilen unternimmt gegenwärtig den Versuch, geeignete Partner auf muslimischer Seite für einen Dialog zu identifizieren sowie im Rahmen des Politischen Beraterstabes die institutionellen Voraussetzungen hierfür zu schaffen.

Die Verwirklichung des Traumes von einem Vereinten Europa kann nur zusammen mit den Religionen und Kirchen des europäischen Kontinents und unter Berücksichtigung des genuin religiösen Erbes Europas geschehen. Ihr Gelingen hängt von den Anstrengungen aller Menschen guten Willens ab.

Makroökonomische Auswirkungen der EU-Erweiterung auf alte und neue Mitglieder

von Fritz Breuss

Mit dem Gipfel von Nizza im Dezember 2000 hat die Europäische Union (EU) den Weg für die Erweiterung der Union freigemacht.[2] Der Ratifikationsprozess des Nizza-Vertrags ist mit der zweiten positiven Volksabstimmung in Irland abgeschlossen. Damit sind die institutionellen Voraussetzungen für die Erweiterung geschaffen. Nach der Einigung über die Finanzierung der Erweiterung auf dem Sondergipfel der Staats- und Regierungschefs in Brüssel Ende Oktober 2002 und der Bestätigung der Beitrittsreife von 10 MOEL im Fortschrittsbericht der Europäischen Kommission, steht einem erfolgreichen Abschluss der Beitrittsverhandlungen bis Ende 2002 nichts mehr im Wege. Auf dem Europäischen Rat in Kopenhagen im Dezember 2002 wird die Erweiterung offiziell abgesegnet. Es folgt dann im Frühjahr 2003 die feierliche Unterzeichnung des Beitrittsvertrags (mit Anhängen über die jeweiligen Besonderheiten bzw. Übergangsregelungen der 10 MOEL) unter der griechischen Präsidentschaft in Athen. Dann muss der Beitrittsvertrag bis Jahresende von allen alten EU-Mitgliedstaaten und den 10 Kandidatenländern ratifiziert werden, damit wie geplant, die EU per 1. Jänner 2004 um 10 neue Mitglieder erweitert werden kann.

Abgesehen von der weltpolitischen Bedeutung einer Erweiterung der Union (Friedenssicherung in Europa, Vereinigung von West und Ost, Ausweitung der EU zu einer Weltmacht) interessieren auch die ökonomischen Folgen. Es liegen bereits einige Studien vor, die mit Weltmodellen für die EU und die MOEL oder mit Einzellandmodellen (vorwiegend für Österreich, aber auch für Deutschland) dieser Frage nachgehen. Der Mangel aller bisherigen Berechnungen besteht darin, dass

---

[2] Dies ist eine leicht adaptierte Fassung des gleichnamigen Aufsatzes, der in den "Wifo-Monatsberichten", Nr. 11/2001, S. 655-666 publiziert wurde.

sie zum einen nicht alle Effekte berücksichtigen, die man von der Integration der vorwiegend "armen" MOEL in die größtenteils "reiche" EU erwarten kann, und zum anderen meist nur für die Blöcke MOEL und EU insgesamt bzw. einzelne Mitgliedstaaten (für Österreich z. B. *Breuss - Schebeck*, 1998, *Keuschnigg - Kohler*, 1999; für Deutschland *Keuschnigg - Keuschnigg - Kohler*, 1999) Aussagen treffen, nicht aber für die einzelnen Länder in der EU und in Ost-Mitteleuropa.
Die im Rahmen des Forschungsprogramms PREPARITY neu vorgenommene Schätzung der makroökonomischen Auswirkungen der EU-Erweiterung füllt diese Lücke. Sie basiert auf dem Weltmakromodell von Oxford Economic Forecasting (OEF World Macroeconomic Model; *OEF*, 2000), das neben den anderen wichtigen OECD-Staaten explizit 13 EU-Staaten und drei MOEL (Polen, Tschechien und Ungarn) sowie Osteuropa als Block enthält. Es wird unterstellt, dass die Erweiterung in zwei Wellen erfolgt: Im Jahr 2005 wird die "Luxemburg-Gruppe" (Polen, Slowenien, Tschechien, Ungarn, Estland und Zypern) der EU beitreten, im Jahr 2007 die "Helsinki-Gruppe" (Bulgarien, Rumänien, Slowakei, Lettland, Litauen und Malta). Die Modellsimulationen beziehen sich nur auf die drei MOEL Polen, Tschechien und Ungarn ("MOEL 3"), die rund zwei Drittel des BIP der MOEL 10 ausmachen.

Integrationseffekte der EU-Erweiterung

Die zu erwartenden Integrationseffekte hängen jeweils vom Grad der Integration ab. Im Falle der EU-Erweiterung treten die neuen Mitglieder zu einem Zeitpunkt bei, in dem die EU bereits die höchste Stufe der wirtschaftlichen Integration (Zollunion, Binnenmarkt sowie Wirtschafts- und Währungsunion) erreicht hat. Aufgrund der offiziellen Doktrin (*Europäische Kommission,* 2001B) dürfte die EU-Erweiterung in zwei Schritten erfolgen: Zunächst treten die neuen Mitglieder auf der Stufe des Binnenmarktes in die Union ein. Erst in einem zweiten Schritt werden sie an der WWU teilnehmen. Die folgenden Berechnungen beziehen sich daher auf die makroökonomischen Auswirkungen einer Teilnahme am Binnenmarkt.

Damit ergeben sich die aus der Literatur bekannten theoretischen Standardeffekte (*Baldwin - Venables*, 1995) und einige Effekte, die speziell im Fall der EU-Erweiterung auftreten können:

- *Handelseffekte*: Kostensenkung durch Wegfall der restlichen Zölle und der Handelskosten,
- *Binnenmarkteffekte*: Effizienzsteigerung, Intensivierung des Preiswettbewerbs,
- *Faktorwanderung*: Direktinvestitionen von West nach Ost, Arbeitsmigration von Ost nach West,
- Kosten der Erweiterung bzw. Transfers für die MOEL.

Übersicht 1: Die Größenverhältnisse der EU-Erweiterung 1999

	EU	MOEL 10	MOEL 3	MOEL 10	MOEL 3
				EU = 100	MOEL 10 = 100
Strukturindikatoren					
Bevölkerung .... Mio.	376	105	59	27,83	56,41
Unselbständig Beschäftigtein 1.000	133.132	27.842	15.665	20,91	56,27
Erwerbstätige .... in 1.000	157.244	42.239	24.216	26,86	57,33
Bruttoinlandsprodukt, nominellMrd. KKP	7.962	831	539	10,44	64,88
.... Mrd. □	7.964	341	240	4,28	70,25
BIP pro Kopf .... KKP	21.182	7.946	9.139	37,51	115,02
.... □	21.188	3.262	4.063	15,40	124,55
BIP je Erwerbstätigen (Produktivität) KKP	50.637	19.676	22.266	38,86	113,16
.... □	50.650	8.078	9.898	15,95	122,54
Bruttomonatslöhne .... KKP	1.987	714	837	35,91	117,37
.... □	2.007	301	375	14,98	124,58
Agraranteil ....in % des BIP	1,7	7,2	4,3	423,5	59,7
.... in % der Beschäftigung	5,1	16,1	10,1	315,7	62,7
Direktinvestitionen, ZustromMio. $[3])	215.864	16.599	12.968	7,69	78,13
.... in % des BIP[1])	2,54	4,56	5,07	179,49	111,18
Außenhandel					
Exporte in die MOEL .... Mio. $	99.088				
.... in % der Gesamtexporte	4,58				
............................in % des BIP	1,17				
Importe aus den MOEL Mio. $	82.794				
.... in % der Gesamtimporte	3,94				

[3]) EU: 1998.

............................in % des BIP	0,97			
Exporte in die EU .... Mio. $		80.645	56.955	70,62
.... in % der Gesamtexporte		68,50	71,90	104,96
............................in % des BIP		22,15	22,27	100,52
Importe aus der EU ...... Mio. $		94.036	66.332	70,54
.... in % der Gesamtimporte		62,14	64,56	103,89
............................in % des BIP		25,83	25,94	100,41
Migration				
2005 (Beitritt von 5 MOEL im Jahr 2005) ....Personen	200.000	- 200.000	- 143.700	71,85
2010 (Beitritt von 5 anderen MOEL im Jahr 2007) ....Personen	210.000	- 210.000	- 72.100	34,33
"Kosten der Erweiterung" (Transfers aus dem EU-Haushalt, netto)				
Kumuliert 2000/2010 ... Mrd. □	- 190	190	134	70,70
............................in % des BIP	- 0,15	2,10	2,48	118,10
2010............................ Mrd. □	- 39	39	27	69,77
............................in % des BIP	- 0,30	3,68	4,35	118,21

Q: Eurostat, OECD, WIFO, WIIW.

Übersicht 2: Außenhandel der EU mit den MOEL 10

	Exporte in die MOEL 10					Importe aus den MOEL 10					Handelsbilanz mit den MOEL 10				
	1988	1990	1995	1999	2000	1988	1990	1995	1999	2000	1988	1990	1995	1999	2000
	In % der Gesamtexporte					In % der Gesamtimporte					In % des BIP				
Belgien-Luxemburg	0,66	0,64	1,64	2,46	2,55	0,63	0,69	0,69	1,19	1,81	0,02	- 0,03	0,32	0,53	0,64
Dänemark	1,10	1,62	3,03	3,82	3,60	1,69	1,87	1,87	2,97	3,79	- 0,13	- 0,02	0,10	0,12	0,02
Deutschland	2,46	2,79	5,79	7,84	8,12	2,93	3,24	3,24	6,19	8,38	0,04	0,00	0,07	0,14	0,15
Griechenland	2,26	2,66	7,96	8,15	8,15	3,11	2,54	2,54	3,51	3,15	- 0,39	- 0,34	- 0,03	- 0,02	- 0,29
Spanien	0,53	0,52	1,41	2,15	2,50	0,81	0,68	0,68	1,20	1,32	- 0,08	- 0,06	- 0,01	0,07	0,09
Frankreich	0,98	1,05	1,69	2,70	2,95	1,14	1,14	1,14	1,35	2,15	- 0,04	- 0,04	0,06	0,12	0,10
Irland	0,34	0,39	0,93	1,13	1,42	0,81	0,75	0,75	0,52	1,07	- 0,17	- 0,13	0,36	0,32	0,53
Italien	1,58	2,11	4,15	5,30	5,65	2,35	2,13	2,13	3,45	4,15	- 0,15	- 0,03	0,24	0,28	0,30
Niederlande	0,87	0,94	2,18	2,55	2,70	1,11	1,23	1,23	2,12	2,26	- 0,08	- 0,10	0,12	0,21	0,33
Österreich	6,06	7,29	11,39	13,31	13,48	4,74	4,68	4,68	6,74	9,39	0,12	0,43	0,90	0,95	0,91
Portugal	0,31	0,21	0,43	0,94	1,30	0,31	0,21	0,21	0,50	0,78	- 0,04	- 0,03	- 0,06	- 0,07	- 0,21
Finnland	5,87	5,05	5,76	7,62	7,39	3,63	3,16	3,16	3,54	4,13	0,48	0,36	0,99	1,45	1,27
Schweden	1,52	1,57	3,01	4,28	4,33	2,07	1,95	1,95	3,03	4,13	- 0,10	- 0,07	0,19	0,36	0,14
Großbritannien	0,82	0,70	1,60	1,92	2,10	0,94	0,81	0,81	1,37	1,58	- 0,07	- 0,05	0,02	0,01	- 0,02
EU	1,63	1,81	3,51	4,55	4,75	1,78	1,81	1,81	3,10	3,91	- 0,04	- 0,02	0,13	0,19	0,19
USA	0,34	0,37	0,39	0,42	0,38	0,44	0,32	0,32	0,35	0,50	- 0,02	0,00	0,00	- 0,02	- 0,04
Japan	0,28	0,29	0,18	0,32	0,37	0,40	0,30	0,30	0,16	0,20	0,00	0,00	0,00	0,02	0,02

Q: OECD, Monthly Statistics of International Trade.

Übersicht 3: Außenhandel der MOEL 10 mit der EU

	Exporte in die EU				Importe aus der EU				Handelsbilanz mit der EU			
	1993	1995	1999	2000	1993	1995	1999	2000	1993	1995	1999	2000
	In % der Gesamtexporte				In % der Gesamtimporte				In % des BIP			
Ungarn	58,13	62,79	76,23	75,17	54,38	61,52	64,44	58,48	-4,24	-3,21	2,12	5,17
Tschechien	45,77	55,18	69,24	68,61	46,37	56,39	64,21	61,99	-0,56	-4,53	0,26	-0,20
Polen	69,25	70,04	70,51	69,96	64,79	64,65	64,96	61,20	-2,81	-2,16	-6,77	-4,95
Bulgarien	45,46	36,95	54,20	51,74	41,38	36,98	50,02	44,92	-7,40	-0,71	-4,64	-3,30
Rumänien	39,86	51,56	64,35	62,25	43,98	48,40	59,40	55,18	-3,48	-2,46	-2,37	-2,04
Slowakei	28,65	36,30	59,49	54,65	27,09	33,52	51,71	49,19	-2,70	-0,65	-1,84	-4,81
Slowenien	60,78	65,57	66,14	63,89	61,15	66,12	68,81	67,82	-3,20	-4,68	-5,88	-6,98
Estland	47,68	53,21	62,79	68,51	59,31	64,48	57,78	56,12	-8,95	-18,58	-9,35	-4,25
Lettland	30,60	43,29	62,55	64,65	26,33	48,60	53,73	52,45	1,86	-7,28	-7,58	-6,50
Litauen	63,42	35,32	50,11	47,90	48,24	35,67	46,50	43,58	2,47	-5,74	-6,97	-4,78
MOEL 10	52,85	57,05	68,36	67,13	51,36	55,78	61,99	58,31	-2,95	-3,04	-3,82	-2,78

Q: OECD, Monthly Statistics of International Trade; IMF, Direction of Trade Statistics.

Die EU-Erweiterung ist ein Projekt der regionalen Integration mit zahlreichen Asymmetrien. Einerseits wird ein Block "armer" Länder (MOEL) in einen Block "reicher" Länder (EU) integriert, andererseits tritt ein kleiner Block einem großen bei. Derzeit sind alle MOEL relativ zur EU arm: Im Durchschnitt beträgt das BIP pro Kopf der MOEL 10 zu Kaufkraftparitäten rund 40% von jenem der EU (Übersicht 1). Das absolute BIP der MOEL 10 macht zu Kaufkraftparitäten rund 10% jenes der EU aus, zu laufenden Preisen sogar nur 5%. Die Arbeitsproduktivität der MOEL 10 erreicht nur 40% jener der EU. Der Anteil der Landwirtschaft ist viermal so groß wie in der EU. Der Außenhandel mit der EU ist für die MOEL viel wichtiger als umgekehrt, und zwar in einem Ausmaß von 1 : 20 (Übersichten 1, 2 und 3). Aufgrund der Tatsache, dass der Block der MOEL 10 im Vergleich zur EU klein ist, werden sich die positiven Integrationseffekte in den neuen Mitgliedern nur relativ schwach auf die alten EU-Mitglieder übertragen.

Handelseffekte

Die EU hat mit allen 10 MOEL Europaabkommen abgeschlossen, ein asymmetrischer Zollabbau ist somit bereits im Gange: Die EU hat die Zölle auf Importe aus den MOEL seit 1997 ganz beseitigt (Ausnahmen: Agrarprodukte und sensible Produkte), die MOEL tun dies für Importe aus der EU im Jahr 2002. Mit dem EU-Beitritt werden die MOEL Teil der Zollunion der EU (gemeinsamer Zolltarif und gemeinsame Handelspolitik), im Binnenmarkt fallen die Grenzkontrollen weg (Verringerung der Handelskosten). Die exakten Kosteneinsparungen durch den Wegfall der Grenzkontrollen wurden bisher nicht erhoben. Daher variieren in der Literatur die Zahlen über die Verringerung der Handelskosten aus diesem Titel zwischen 5% (z. B. *Kohler*, 2000) und 10% (z. B. *Baldwin - Francois - Portes*, 1997). *Hoffmann* (2000) erwähnt "Grenzkosten" vor der Schaffung des Binnenmarktes von 1,7% der Gesamtexporte der EU. Hier wird angenommen, dass die Restzölle in den MOEL bis 2002 5% betragen. Die Verringerung der Handelskosten im Jahr des Beitritts 2005 wird ebenfalls mit 5%

angenommen. Während die Beseitigung der Zölle Wohlfahrtsverluste für die MOEL bedeutet (Einnahmenverlust des Staates), beeinflusst der Wegfall der Grenzkontrollen (Reduktion der Handelskosten) nur die Richtung der Handelsströme (Handelsschaffung).

Da fast 70% der Exporte der MOEL in die EU gehen und fast zwei Drittel ihrer Importe aus der EU stammen, umgekehrt aber nur rund 4% des Außenhandels der EU insgesamt mit den MOEL abgewickelt werden, erhält man asymmetrische Handelseffekte (Übersicht 1). Sie sind für die MOEL größer als für die EU (Übersicht 6).

Die Handelseffekte allein bedeuten in der EU einen Anstieg des realen BIP von rund 0,05% kumuliert über die Periode 2005 bis 2010. Österreich gewinnt am meisten (BIP kumuliert rund +¼%) vor den Niederlanden, Frankreich, Irland und Italien (rund +0,1% bis 0,2%). Einige Länder (Spanien, Großbritannien) dürften aufgrund der Handelseffekte verlieren. In den MOEL ist der handelsinduzierte BIP-Effekt fast zehnmal so hoch: In Ungarn wird das reale BIP um rund 4½% stimuliert (kumuliert über die Periode 2001 bis 2010), in Polen und Tschechien wegen der weniger intensiven Handelsbeziehungen um etwa die Hälfte dieses Wertes.

Die Beseitigung der Zölle hat einen Verlust von Staatseinnahmen im Ausmaß von rund 1% bis 1½% des BIP zur Folge. Die Verringerung der Handelskosten (bei Eintritt in den Binnenmarkt) löst in der EU und in den MOEL eine Handelsintensivierung aus (Handelsschaffung), ohne den Staatshaushalt direkt zu belasten.

Die Handelseffekte haben keinen großen Einfluss auf andere makroökonomische Variable: Im Allgemeinen steigen die Preise und die Beschäftigung leicht, und die Arbeitslosigkeit geht etwas zurück. Nur in den MOEL verschlechtert sich der Saldo des Staatshaushaltes und auch der Handels- und Leistungsbilanz.

Binnenmarkteffekte

Die EU-Erweiterung bedeutet eine Ausdehnung des Binnenmarktes. Damit erhöht sich der Wettbewerbsdruck für die neu beitretenden Länder und auch - allerdings in geringerem Ausmaß - für die gegenwärtigen EU-Mitgliedstaaten. Geht man von den Erfahrungen mit dem Binnenmarktprogramm aus, so sollte dies einen Anstieg der Produktivität (Ausnützung von Economies of Scale; "Produktivitätsschock") und auch ein Sinken des Preisniveaus (über eine Verringerung der Mark-ups; "Preisschock") bewirken. Zusammengenommen sollte dies das Wachstumspotential in den MOEL und auch in der EU vergrößern.

PRODUKTIVITÄTSSCHOCKS - EFFIZIENZSTEIGERUNG

Hier wird davon ausgegangen, dass für die MOEL der Eintritt in die EU ähnliche, wenn nicht sogar stärkere Produktivitätsschocks und Preisdämpfungen bedeutet, als die alten EU-Mitglieder bei der Schaffung des Binnenmarktes 1993 verzeichneten. Als Benchmarks werden hier sowohl die diesbezüglichen Ex-ante-Erwartungen anlässlich der Schaffung des Binnenmarktes herangezogen (*Catinat - Donni - Italianer*, 1988) als auch die Ex-post-Erfahrungen in einzelnen Ländern (z. B. für Österreich: *Breuss*, 2000A). Das bedeutet für die neuen EU-Mitglieder einen mittelfristigen Produktivitätsschock von rund 2% bis 3%. Der Anfangsschock der Arbeitsproduktivität im Jahr 2005 in den MOEL beträgt rund 1½% und erreicht in sechs Jahren kumuliert rund 3%.

In den alten EU-Mitgliedstaaten wird im Allgemeinen ein viel schwächerer Produktivitätsschock angenommen und im Besonderen der "Casella-Effekt" implementiert: *Casella* (1996) postuliert, dass kleine Länder überproportional von einer regionalen Integration profitieren. Der Eintritt neuer Länder in eine Integrationsgemeinschaft verringert die Bedeutung des Heimmarktes und verbessert die relative Konkurrenzfähigkeit kleiner Länder. Wenn Economies of Scale implizieren, dass Unternehmen in großen Ländern niedrigere Kosten vorfinden, so hat die Erweiterung einer Integrationsgemeinschaft zur Folge, dass die kleinen Länder überproportional gewinnen. Es wird daher angenommen, dass der anfängliche Produktivitätsschock für die gegenwärtigen kleinen EU-Länder im Jahr 2005 rund ¾% beträgt und mit der Zeit abnimmt, während er für die großen EU-Länder nur halb so groß sein wird.

Aufgrund des angenommenen asymmetrischen Produktivitätsschocks entwickelt sich das reale BIP in den kleinen EU-Staaten besser als in den großen (Übersicht 6). In Belgien, Österreich, Finnland und Irland wächst das reale BIP kumuliert bis 2010 um ½% (durchwegs im Vergleich mit einem Basisszenario ohne Erweiterung), allerdings mit abnehmender Dynamik. In den großen EU-Staaten ist mit einem halb so hohen produktivitätsbedingten BIP-Anstieg zu rechnen. Eine Steigerung der Arbeitsproduktivität bedeutet jedoch einen Trade-off auf dem Arbeitsmarkt: Die Nachfrage nach Beschäftigten geht zurück, die Arbeitslosigkeit nimmt zu. Die Wettbewerbsfähigkeit, gemessen am realen Wechselkurs (relative Lohnstückkosten), verbessert sich. Die Preisentwicklung verlangsamt sich und damit auch der Anstieg des nominellen BIP, was das Steueraufkommen dämpft und damit leicht negative Auswirkungen auf den Staatshaushalt hat. Eine Steigerung der Arbeitsproduktivität beeinflusst auch die Einkommensverteilung: Die Lohnquote sinkt, d. h. die Gewinne wachsen auf Kosten der Löhne.

Weil der Produktivitätsschock in den beitretenden Ländern höher ist, fallen die Makroeffekte hier - obwohl sie in der Struktur ähnlich sind - viel größer aus. Das reale BIP steigt in den hier betrachteten 3 MOEL um rund 1% (kumuliert von 2005 bis 2010), wobei der zeitliche Verlauf von Land zu Land allerdings unterschiedlich ist. Der Anpassungsdruck an den EG-Binnenmarkt (Produktivitätsschock) hat negative Auswirkungen auf den Arbeitsmarkt (die Nachfrage nach Beschäftigten geht am Beginn stark zurück, die Arbeitslosigkeit nimmt zu).

PREISWETTBEWERB

Die Verschärfung des Preiswettbewerbs im erweiterten Binnenmarkt wird in den neuen Mitgliedstaaten sicher stärker sein als in den alten ("Preisschock"). Ähnlich den Ex-ante-

Erwartungen vor der Schaffung des Binnenmarktes im Jahr 1993 wird hier für die MOEL 3 eine Dämpfung des Preisniveaus (gemessen am Verbraucherpreisindex) von rund 6% über sechs Jahre (oder 1% pro Jahr) angenommen. Für die alten EU-Mitgliedstaaten wird ein viel geringerer Effekt berücksichtigt. Er hängt jeweils von der Handelsintensität der EU-Staaten mit den MOEL ab: Wenn der Handel mit den MOEL 10 mehr als 4% des gesamten Außenhandels eines EU-Landes ausmacht, wird die wettbewerbsbedingte Preisdämpfung auf jährlich ½% geschätzt, bei einer geringeren Quote auf jährlich 0,15%.
Eine Intensivierung des Preiswettbewerbs resultiert in einer Stärkung der Kaufkraft und damit der Nachfrage; dies hat einen Anstieg des realen BIP von anfänglich rund ½% in den EU-Staaten mit engeren Handelsbeziehungen mit den MOEL und rund halb so starke Effekte in den anderen EU-Staaten zur Folge. Der anfängliche BIP-Impuls beträgt in Polen und Ungarn rund 1%, fällt in Tschechien aber nur halb so hoch aus. Im Zeitablauf bleibt der Abstand des realen BIP zum Basisszenario dadurch in Polen hoch, sinkt aber in Ungarn und Tschechien. Die anderen makroökonomischen Variablen werden durch den wettbewerbsbedingten Preisschock nur wenig beeinflusst.

Faktorwanderung

Da die Faktorwanderung nach der EU-Erweiterung vor allem durch die Realisierung der "vier Freiheiten des Binnenmarktes" (freier Waren-, Dienstleistungs-, Kapital- und Personenverkehr) ausgelöst wird, könnte man ihre Effekte auch unter der Überschrift "Binnenmarkteffekt" behandeln. Die bisher vorliegenden Studien berücksichtigen Faktorwanderungen meist nicht oder nur teilweise. Daher werden die beiden wichtigsten Effekte - Kapitalwanderung von West nach Ost, Arbeitskräftewanderung von Ost nach West - hier getrennt im OEF-Weltmakromodell simuliert.

Übersicht 4: Direktinvestitionen der MOEL 10

	Direktinvestitionen kumuliert		Direktinvestitionen		Direktinvestitionen		
	Zustrom	Pro Kopf	Pro Kopf		Zustrom		
	1989/1999		1998	1999	1998	1999	1999
	Mio. $	In $	In $	In $	In % des BIP		In % des BIP der EU
Bulgarien	2.332	284	65	98	4,4	6,5	0,01
Tschechien	14.924	1.447	256	476	4,7	9,2	0,07
Estland	1.604	1.115	397	154	11,0	4,3	0,00
Ungarn	17.770	1.764	144	140	3,1	2,9	0,02
Lettland	2.100	866	124	136	5,0	5,3	0,00
Litauen	2.012	545	249	129	8,6	4,5	0,01
Polen	20.047	518	128	172	3,2	4,3	0,09
Rumänien	5.647	252	92	42	5,0	2,8	0,01
Slowakei	2.111	391	70	130	1,8	3,6	0,01
Slowenien	1.400	701	125	72	1,3	0,7	0,00
MOEL 10	69.947	667	135	158	4,8	4,4	0,23

Q: European Bank for Reconstruction and Development, Transition Report 2000: Employment, Skills and Transition, EBRD, London, 2000, S. 74.

Übersicht 5: Direktinvestitionen der EU in die MOEL 10

	1993	1995	1998	1999	1999
	Mio. $				Pro Kopf in $
Investitionssender					
Deutschland	1.430,5	2.661,4	4.733,8	3.086,0	37,6
Frankreich	269,1	1.223,9	976,0	1.967,0	33,6
Belgien-Luxemburg	251,0	216,5	568,4	1.536,6	144,2
Niederlande	362,4	1.285,4	1.797,1	2.156,3	136,4
Italien	379,8	106,5	116,1	615,7	10,7
Großbritannien	64,5	148,3	718,8	385,1	6,5
Irland	-	-	-	-	-
Dänemark	51,7	218,8	29,8	387,0	72,8
Griechenland	0,0	0,0	0,0	0,0	0,0
Portugal	2,0	0,0	42,3	135,3	13,6
Spanien	7,8	25,4	69,0	173,7	4,4
Finnland	19,8	60,7	110,6	72,6	14,0
Schweden	78,8	202,3	1.009,3	721,1	81,4
Österreich	514,9	531,7	896,1	698,9	86,4
EU	3.432,2	6.680,8	11.067,4	11.935,2	31,8
USA	1.009,0	652,0	747,0	525,0	1,9
Japan	86,0	81,3	112,3	164,2	1,3

Investitionsempfänger					
Ungarn	1.316,5	2.658,9	2.322,0	524,1	52,1
Polen	843,2	1.432,7	4.811,5	6.961,0	180,1
Tschechien	948,1	1.897,2	1.849,9	2.746,3	267,1
Slowakei	98,7	232,2	332,3	266,6	49,4
Bulgarien	35,2	12,1	192,5	129,4	15,8
Rumänien	27,1	97,3	456,3	492,1	21,9
Slowenien	135,3	108,0	177,1	228,2	114,9
Baltische Länder	28,0	242,5	925,7	587,5	77,6
MOEL 10	3.432,2	6.680,8	11.067,4	11.935,2	114,1
MOEL 3	3.107,9	5.988,8	8.983,5	10.231,4	173,4
Welt	92.070,5	157.398,7	397.409,7	552.153,6	92,4

Q: OECD, International Direct Investment Statistics Yearbook 2000.

DIREKTINVESTITIONSSTRÖME VON WEST NACH OST

Seit der Ostöffnung im Jahr 1989 fungieren Außenhandel und ausländische Direktinvestitionen als die wichtigsten Kanäle der Integration. Kumuliert über die letzten zehn Jahre zog Ungarn pro Kopf mit 1.764 $ die stärksten Direktinvestitionsströme an vor Tschechien (1.447 $) und Estland (1.115 $). Polen, in das absolut die größten Direktinvestitionsströme flossen, weist eine Pro-Kopf-Quote von nur 518 $ auf (Übersicht 4). Die vorliegende Schätzung künftiger Direktinvestitionsströme in die MOEL beruht auf den Ergebnissen der Studie von *Gács* (1999). Demnach werden die Zuströme an Direktinvestitionen in die MOEL 3 bis 2010 um rund 1½% des BIP steigen. Diese Inputs wurden direkt in die Direktinvestitionsvariable des OEF-Weltmodells implementiert.

Direktinvestitionen verstärken Akkumulation und Erneuerung des Kapitalstocks und sind damit ein wichtiger Faktor für die Verbesserung des künftigen Wachstumspotentials (*Baldwin - Francois - Portes*, 1997). Der Zustrom an Direktinvestitionen in die MOEL wird sich nach deren Eintritt in den Binnenmarkt der EU jedenfalls erhöhen (die gesteigerte Sicherheit für die Investoren schlägt sich in einer Reduktion der Risikoprämien nieder). Die Auswirkungen dieser Art von Faktorwanderung auf die alten EU-Mitgliedstaaten sind weniger eindeutig: Zusätzliche Direktinvestitionen in den MOEL können einerseits das Investitionspotential in der EU reduzieren (und/oder im Rest der Welt), andererseits über eine Zinssteigerung indirekt dämpfende Effekte haben, weil zusätzlich Kapital nachgefragt wird. Hier wird dieser Effekt durch eine Anhebung der kurzfristigen Eurozinssätze im Euro-Raum um 0,05 Prozentpunkte am Beginn der zusätzlichen Direktinvestitionsaktivitäten (die bereits in der Vorbereitungsphase ab 2003 beginnen) bis 0,2 Prozentpunkte am Ende dieses Prozesses im Jahr 2010 abgebildet[3]. Dahinter steht die Überlegung, dass zusätzliche

---

[3] Ähnliche Zinseffekte berücksichtigen Studien, die die makroökonomischen Auswirkungen eines anhaltenden Kapitaltransfers von West- nach Osteuropa mit Weltmodellen simulieren (z. B. *Bartolini - Symansky*, 1995, und *Neck - Schäfer*, 1996).

Kapitalnachfrage zur Finanzierung von Direktinvestitionen einen Anstieg der Zinssätze in der EU bewirkt. Dies hat indirekt ein Crowding-out von Investitionen in den EU-Mitgliedstaaten zur Folge.

In den Investorländern der EU ergibt sich in der Folge des Zinsanstiegs im Durchschnitt eine leichte Dämpfung des realen BIP von rund 0,1% am Beginn bis zu 0,2% am Ende der Periode. Kleinere Länder werden stärker betroffen sein als große Länder. In den MOEL 3 löst der Kapitalzustrom einen starken Impuls auf das reale BIP aus; er beträgt in Ungarn mit bis zu +1%, in Polen +¾% und in Tschechien +½%. Die im Zuge des EU-Beitritts ausgelöste Kapitalbewegung resultiert daher in einem Gewinn an Direktinvestitionen (bzw. Wohlfahrt) für die MOEL und einem leichten Verlust in den alten EU-Staaten.

ARBEITSMIGRATION VON OST NACH WEST

Die politisch brisanteste Frage im Zusammenhang mit der EU-Erweiterung ist jene nach dem möglichen Ausmaß der Migration. Von den Kandidatenländern werden Migrationsbewegungen überhaupt ausgeschlossen. Die an die MOEL grenzenden EU-Mitgliedstaaten (insbesondere Deutschland, Österreich und die skandinavischen Länder) befürchten dagegen, dass eine massive Migration ihre Arbeitsmärkte nachhaltig stören könnte, sollte die volle Freizügigkeit des Personenverkehrs mit dem Eintritt in den Binnenmarkt der EU gewährt werden. Die großen Lohnunterschiede (im Durchschnitt der MOEL 40% des EU-Durchschnitts; Übersicht 1) könnten theoretisch eine Massenmigration auslösen. Daher plädieren die EU-Länder an der Grenze zu den MOEL (Deutschland und Österreich) für eine Übergangsfrist bezüglich der Freizügigkeit der Arbeitskräfte von bis zu sieben Jahren (siehe auch *Europäische Kommission,* 2001C).

Das Migrationsszenario, das im OEF-Weltmodell implementiert wird, basiert auf den jüngsten Schätzungen der Europäischen Kommission, erstellt von *Boeri - Brücker* (2000; siehe auch *DIW*, 2000), und unterstellt sofortige Gewährung der Freizügigkeit des Personenverkehrs. Unter der Annahme, dass alle MOEL 10 der EU im Jahre 2002 beitreten, würden nach diesen Berechnungen 335.843 Personen von den MOEL 10 in die EU emigrieren; von ihnen würde die Mehrheit nach Deutschland (218.430, 65%) und Österreich (40.547, 12,1%) wandern. Über die Zeit wird der Migrationsstrom versiegen, im Jahr 2010 würde er 146.926 Personen und 2030 nur noch 2.366 betragen.

Für die vorliegende Modellsimulation wurden diese Werte adaptiert. Zum einen wurden sie mit dem angenommenen Zeitplan der Erweiterung ("Luxemburg-Gruppe" 2005, "Helsinki-Gruppe" 2007) konsistent gemacht, zum anderen mussten die Zahlen auf bilaterale Migrationströme (jeweils von den einzelnen MOEL 3 in alle EU-Länder) heruntergebrochen werden. Aus den MOEL 3 werden demnach im Jahr 2005 143.700 Personen in die EU emigrieren (nach Deutschland 95.800, nach Österreich 17.650); diese Zahl verringert sich bis 2010 auf 72.100 (Deutschland 48.000, Österreich 8.820). Entsprechend der bisherigen Praxis wird angenommen, dass zwei Drittel der Migranten in das Arbeitskräfteangebot eintreten werden.

In Übereinstimmung mit der Theorie (z. B. *Borjas*, 1995) liefern die Modellsimulationen des Migrationszenarios das bekannte Muster eines Immigrationsgewinns (immigration surplus) in den Empfängerländern der EU und der Migrationsverluste (migration loss) in den Senderländern der MOEL. Die Unternehmen in der EU können mit zusätzlichen Arbeitskräften zu niedrigeren Löhnen mehr produzieren. Als Ergebnis davon steigt das reale BIP in der EU - am stärksten in Deutschland (+¼% bis zum Jahr 2010) und Österreich (+0,15%) - und sinkt in den MOEL 3 (etwa -0,15%). Durch die Ausweitung des Arbeitskräfteangebotes steigt die Arbeitslosenquote anfänglich in der EU und verringert sich umgekehrt durch die Verringerung des Arbeitskräfteangebotes in den MOEL. Über die Zeit - auch mit dem Nachlassen des Migrationsstromes - ebnen sich die anfänglichen Ungleichgewichte auf dem Arbeitsmarkt ein. Migration geht mit einer Umverteilung der Einkommen einher: In den Empfängerländern werden die Gewinne auf Kosten der

Löhne begünstigt, in den MOEL tritt eine umgekehrte Entwicklung ein.

Kosten der Erweiterung für die EU - Nutzen für die MOEL

Neben dem Migrationsproblem steht die Frage nach den Kosten der EU-Erweiterung im Mittelpunkt der öffentlichen Diskussion. Ausgangspunkt für die vorliegende Modellimplementierung der Kosten der Erweiterung um 3 MOEL und deren Verteilung auf die gegenwärtigen EU-Mitgliedstaaten ist die Agenda 2000[4]. Diese wurde von den Staats- und Regierungschefs anlässlich des Europäischen Rats in Berlin im März 1999 verabschiedet. Die Agenda 2000 enthält eine finanzielle Perspektive für die Periode 2000 bis 2006 unter der technischen Annahme, dass die "Luxemburg-Gruppe" bereits im Jahr 2002 beitreten wird. Demgemäß betragen die Bruttokosten der Erweiterung (kumuliert über die Periode 2000 bis 2006, einschließlich der Vorbereitungskosten) rund 80 Mrd. Euro (oder 0,13% des BIP der EU 15; im Jahr 2006 0,22%). Zieht man die Eigenmittel, die die "Luxemburg-Gruppe" zum EU-Budget beitragen muss (für jedes Land 1,27% des BIP) ab, so ergeben sich Nettokosten der Erweiterung von rund 60 Mrd. Euro. Dies würde 0,1% des EU-BIP entsprechen (2006: 0,17%).

Die Agenda 2000 wurde unter der Auflage beschlossen, dass die Eigenmittelquote unverändert auf dem bisherigen Niveau, nämlich 1,27% des BIP, bleibt. Die Kosten der Erweiterung müssen somit von den gegenwärtigen EU-Mitgliedstaaten durch Einschränkungen der Transfers in den Bereichen GAP und Strukturpolitik aufgebracht werden. Die laufende Reform dieser beiden Politikbereiche impliziert, dass jene Länder, die

---

[4] Man könnte hier auch die Kosten der Anpassung an den acquis communautaire, einer Vorbedingung für den Eintritt der MOEL in die EU (Kopenhagener Kriterien), berücksichtigen. Ein ähnliches Argument stammt von *Rodrik* (2001) in Zusammenhang mit den Lasten der Stabilisierung, die den Entwicklungsländern im Rahmen des "Washington Consensus" (IMF, Weltbank) aufgebürdet werden.

Nettoempfänger aus dem EU-Budget sind, eine höhere Last zu tragen haben als die Nettozahler. Die Agenda 2000 kürzt die Transfers für die Strukturpolitik viel stärker als jene im Bereich der GAP. Im Zusammenhang mit der Erweiterung kommt deshalb auf die "Kohäsionsländer" Griechenland, Irland, Portugal und Spanien die relativ höchste Belastung zu.

Die Neuberechnung (die zu den Kosten der GAP nach 2006 auch 80% für Direkteinkommenszahlungen hinzuzählt) ergibt Nettokosten einer Erweiterung um die MOEL 10 (bereits nach Berücksichtigung der Eigenmittelleistung der MOEL) von rund 190 Mrd. Euro kumuliert über die Periode 2000 bis 2010 (oder 0,15% des EU-BIP; im Jahr 2010 würden die Kosten rund 40 Mrd. Euro oder 0,3% des EU-BIP ausmachen)[5]. Die Erweiterung um die MOEL 3 würde über dieselbe Periode rund 134 Mrd. Euro kosten, das sind 0,11% des EU-BIP (oder 2½% des BIP der MOEL 3).

Während die Belastung durch die Kosten der EU-Erweiterung für die Mehrheit der EU-Mitgliedstaaten unter dem EU-Durchschnitt liegt (Durchschnitt 2005/2010: 0,17% des EU-BIP), tragen die Kohäsionsländer schwerer an dieser Bürde (Portugal 1½% des BIP, Griechenland 1%, Irland ¾%, Spanien rund 0,4% des BIP). Ungarn und Tschechien erhalten z. B. im Jahr 2010 Transfers von insgesamt rund 5¼% des BIP, Polen von rund 4%. Die Schätzung berücksichtigt die Obergrenze für Strukturfonds von 4% des BIP, die in der Agenda 2000 mit dem Argument der begrenzten Mittel der MOEL für die nationale Kofinanzierung festgelegt wurde.

Die Kosten und/oder die Transfers werden im OEF-Weltmodell bei drei Makrovariablen berücksichtigt: in der Leistungsbilanz als Transfers im vollen Ausmaß (Verschlechterung in den EU-Staaten, Verbesserung in den MOEL), im Ausmaß der Hälfte der Transfers in den nationalen Staatshaushalten (Belastung in der EU, Entlastung in den MOEL) und als Stimulus für die

---

[5] Zu Kosten in einer ähnlichen Größenordnung kommt eine Studie des *DIW* (2001). Demnach würden im "Status-quo-Szenario" durch den Beitritt von 12 MOEL im Jahr 2013 Nettokosten von 32 Mrd. € (zu Preisen von 1999) anfallen. Das sind rund 0,3% des BIP der EU 15.

Infrastrukturinvestitionen (leichte Nachfragedämpfung in der EU, Ankurbelung der Nachfrage in den MOEL).

Die mäßige Verschlechterung der Salden von Staatshaushalt und Leistungsbilanz in den EU-Staaten geht mit einer sehr geringen Dämpfung des realen BIP in diesen Ländern einher. In den MOEL 3 haben die zusätzlichen Transfers aus dem EU-Budget positive Wirkungen. Nicht nur Staatshaushalt und Leistungsbilanz werden entlastet, sondern - was noch wichtiger ist - die Stimulierung der Infrastrukturinvestitionen bewirkt eine Zunahme des realen BIP. Das reale BIP würde in Polen um rund 3% steigen, in Ungarn und in Tschechien um 2% (jeweils kumuliert über die Periode 2001/2010; Übersicht 6)[6].

---

[6] Dies sind durchwegs vorsichtige Schätzungen. Gemäß jüngsten Bewertungen der Gemeinschaftlichen Förderkonzepte (GFK) der letzten zwei Programmperioden (1989 bis 1999) mit Hilfe von Simulationen mit dem HERMIN-Modell waren die Wachstumseffekte der Strukturförderung in Griechenland und Portugal mit kumuliert von 1989 bis 1999 +9,9% bzw. +8,5% des realen BIP am höchsten, während in Irland und Spanien das reale BIP im selben Zeitraum um nur 3,7% bzw. um 3,1% stimuliert wurde (*Europäische Kommission,* 2001A, S. 131). Als Folge der Strukturfonds-Programme 2000 bis 2006 errechnet das HERMIN-Modell Wachstumsimpulse bis 2006 von 6% für Griechenland und Portugal, von knapp über 4% für Ostdeutschland und von 2% für Spanien bzw. 1½% für Irland; bis zum Jahr 2010 sinken die BIP-Effekte (*Europäische Kommission,* 2000, S. 215). Das QUEST-II-Modell der Europäischen Kommission (*Europäische Kommission,* 2000, S. 216) kommt zu viel geringeren zusätzlichen realen BIP-Effekten als Folge der Strukturfonds-Programme über die Periode 2000 bis 2006: für Griechenland und Portugal +2½% über zehn Jahre (2000 bis 2009), für Spanien +1% und für Irland nur +½%.

Übersicht 6: Integrationseffekte der EU-Erweiterung: Reales BIP

	Handelseffekte		Binnenmarkteffekte		Direktinvestitionen (Zustrom) in den MOEL		Migration in die EU		Kosten der Erweiterung		Gesamteffekte	
	Ø 2005/ 2006	Ø 2008/ 2010	Ø 2005/ 2006	Ø 2008/ 2010	Ø 2005/ 2006	Ø 2008/ 2010	Ø 2005/ 2006	Ø 2008/ 2010	Ø 2005/ 2006	Ø 2008/ 2010	Ø 2005/ 2006	Ø 2008/ 2010
	Kumulierte Abweichungen von der Basislösung in %											
Deutschland	+ 0,15	+ 0,01	+ 0,50	+ 0,37	- 0,07	- 0,12	+ 0,06	+ 0,23	- 0,01	- 0,01	+ 0,63	+ 0,48
Frankreich	+ 0,02	+ 0,12	+ 0,21	+ 0,27	- 0,10	- 0,21	+ 0,03	- 0,03	- 0,05	- 0,04	+ 0,10	+ 0,11
Italien	+ 0,09	+ 0,16	+ 0,46	+ 0,49	- 0,04	- 0,09	+ 0,02	- 0,03	- 0,03	- 0,03	+ 0,50	+ 0,50
Großbritannien	+ 0,01	- 0,06	+ 0,22	+ 0,19	- 0,01	+ 0,02	+ 0,03	+ 0,05	- 0,02	- 0,02	+ 0,24	+ 0,18
Spanien	- 0,06	- 0,11	+ 0,48	+ 0,37	- 0,11	- 0,41	+ 0,04	+ 0,05	- 0,08	- 0,07	+ 0,28	- 0,18
Niederlande	+ 0,08	+ 0,17	+ 0,72	+ 0,31	- 0,08	- 0,21	+ 0,05	- 0,08	- 0,06	- 0,04	+ 0,71	+ 0,15
Belgien	+ 0,06	+ 0,09	+ 0,31	+ 0,40	- 0,06	- 0,21	+ 0,03	- 0,02	- 0,01	- 0,01	+ 0,33	+ 0,26
Schweden	+ 0,04	+ 0,06	+ 0,65	+ 0,04	- 0,06	- 0,16	+ 0,07	- 0,02	± 0,00	± 0,00	+ 0,69	- 0,07
Österreich	+ 0,20	+ 0,14	+ 0,59	+ 0,64	- 0,09	- 0,29	+ 0,13	+ 0,16	± 0,00	+ 0,01	+ 0,83	+ 0,66
Dänemark	+ 0,07	+ 0,07	+ 0,35	+ 0,10	- 0,07	- 0,21	+ 0,02	- 0,05	- 0,01	- 0,02	+ 0,35	- 0,11
Finnland	+ 0,07	+ 0,08	+ 0,52	+ 0,55	- 0,09	- 0,33	+ 0,05	+ 0,02	- 0,02	- 0,02	+ 0,53	+ 0,31
Irland	+ 0,07	+ 0,20	+ 0,64	+ 0,77	- 0,14	- 0,40	+ 0,05	- 0,05	- 0,15	- 0,13	+ 0,47	+ 0,40
Portugal	+ 0,04	+ 0,12	+ 0,68	- 0,12	- 0,09	- 0,14	+ 0,05	- 0,12	- 0,05	+ 0,05	+ 0,63	- 0,21
EU 13	+ 0,07	+ 0,05	+ 0,40	+ 0,33	- 0,07	- 0,16	+ 0,05	+ 0,06	- 0,03	- 0,03	+ 0,42	+ 0,26
Polen	+ 1,95	+ 2,47	+ 1,23	+ 2,07	+ 0,21	+ 0,45	+ 0,02	- 0,12	+ 1,87	+ 3,15	+ 5,26	+ 8,02
Ungarn	+ 3,95	+ 4,20	+ 1,58	+ 1,25	+ 0,32	+ 0,81	+ 0,03	- 0,09	+ 1,45	+ 2,23	+ 7,32	+ 8,40
Tschechien	+ 1,79	+ 2,84	+ 1,02	+ 0,54	+ 0,14	+ 0,37	- 0,03	- 0,08	+ 1,10	+ 1,98	+ 4,03	+ 5,65
Osteuropa[8])	+ 0,94	+ 1,23	+ 0,53	+ 0,62	+ 0,08	+ 0,19	+ 0,01	- 0,04	+ 0,61	+ 1,08	+ 2,16	+ 3,07

Q: Eigene Simulationen mit dem OEF World Macroeconomic Model.

[8]) Bulgarien, Tschechien, Ungarn, Kasachstan, Polen, Rumänien, Russland, Slowenien und Ukraine.

Gesamtbewertung

Da die MOEL als kleine Region in einen großen Binnenmarkt integriert werden, dürften sie durch die Erweiterung im Durchschnitt rund zehnmal so viel gewinnen wie die EU-Länder. Gemäß den Ergebnissen der Simulationen mit dem OEF-Weltmakromodell können Ungarn und Polen ihr reales BIP innerhalb der nächsten zehn Jahre (einschließlich der Vorbereitungsphase 2001/2004) um rund 8% bis 9% steigern; das entspricht einem jährlichen Wachstumsschub von rund 1%. Tschechien gewinnt etwas weniger (BIP +5% bis +6% oder +½% bis +¾% pro Jahr). In der EU erhält das BIP im Durchschnitt innerhalb einer Periode von sechs Jahren (2005/2010) einen Impuls von rund ½% oder 0,1% pro Jahr. Jene Länder, die wie Österreich, Deutschland und Italien bereits bisher enge Handelsbeziehungen mit den MOEL unterhielten, profitieren am meisten. In Österreich würde das reale BIP durch die Erweiterung kumuliert von 2005 bis 2010 um rund ¾% zunehmen, was einem jährlichen Wachstumsimpuls von 0,15% entspricht.

EFFEKTE DER EU-ERWEITERUNG IN DER ÖKONOMISCHEN LITERATUR

DIE VORLIEGENDEN ERGEBNISSE REIHEN SICH IN DIE ERKENNTNISSE BISHERIGER STUDIEN EIN (EINEN ÜBERBLICK ÜBER MODELLSIMULATIONEN GIBT BREUSS, 1999). SIE SIND MIT JENEN VON BROWN ET AL. (1997) MIT EINEM WELT-CGE-MODELL VERGLEICHBAR, WONACH DIE (DAMALIGE) TSCHECHOSLOWAKEI "LANGFRISTIGE" REALEINKOMMENSGEWINNE VON 7,3%, UNGARN VON 6,8% UND POLEN VON 5,6% VERZEICHNEN WERDEN; DER SPILL-OVER-EFFEKT AUF DAS REALEINKOMMEN DER EU BETRÄGT 0,2%.

NECK - HABER - MCKIBBIN (1999) ERMITTELN MIT EINEM WELTMAKROMODELL SEHR GERINGE BIP-EFFEKTE FÜR OSTEUROPA (+1,6%) UND NAHEZU KEINEN IMPULS FÜR DIE EU. BALDWIN - FRANCOIS - PORTES (1997) ERRECHNEN AUFGRUND VON SIMULATIONEN MIT EINEM WELT-CGE-MODELL IN EINEM OPTIMISTISCHEN SZENARIO EINEN "LANGFRISTI-

GEN" REALEINKOMMENSANSTIEG VON 18,8% FÜR DIE MOEL 7, DER WOHL DIE OBERE GRENZE DER MÖGLICHEN BANDBREITE ANGEBEN DÜRFTE; AUF DIE EU WÜRDE SICH DIES MIT EINER REALEINKOMMENSTEIGERUNG UM NUR 0,2% AUSWIRKEN.
ÄHNLICHE ERGEBNISSE LIEFERT EIN KALIBRIERTES ZWEIBLOCK-WACHSTUMSMODELL (EU 15 UND MOEL 10; BREUSS, 2000B), DAS EBENFALLS HANDELSEFFEKTE, DIREKTE WACHSTUMSEFFEKTE (ÜBER DAS WACHSTUM DER GESAMTEN FAKTORPRODUKTIVITÄT), DIREKTINVESTITIONSEFFEKTE, MIGRATIONSEFFEKTE UND BUDGETEFFEKTE (KOSTEN DER ERWEITERUNG) BERÜCKSICHTIGT. DER WICHTIGSTE WACHSTUMSIMPULS STAMMT IN DIESER SCHÄTZUNG VON DER STEIGERUNG DER FAKTORPRODUKTIVITÄT. DARAUS ERGIBT SICH NACH 18 JAHREN EIN ANSTIEG DES REALEN BIP VON 17% IN DEN MOEL 10 UND VON 2,8% IN DER EU 15. BEI EINER RASCHEREN ERWEITERUNG UM DIE MOEL 10 WÜRDEN DIE BIP- UND WOHLFAHRTSEFFEKTE IN BEIDEN REGIONEN HÖHER AUSFALLEN.

DIE EUROPÄISCHE KOMMISSION (2001D, S. 39) ERRECHNET IN IHRER METHODISCH GEMISCHTEN STUDIE (SZENARIOTECHNIK UND MAKROMODELLSIMULATIONEN) ÄHNLICHE EFFEKTE WIE DIE VORLIEGENDE UNTERSUCHUNG. ZUNÄCHST WERDEN FÜR DIE KÜNFTIGE WIRTSCHAFTSENTWICKLUNG VON ACHT MOEL (OHNE BULGARIEN UND RUMÄNIEN) DREI WACHSTUMSSZENARIEN FORMULIERT, JEWEILS ABHÄNGIG VON DEN ANFANGSBEDINGUNGEN, DEM MAKROÖKONOMISCHEN RAHMEN UND DEN STRUKTURREFORMPROGRAMMEN. DEMGEMÄSS KÖNNTE DURCH DIE EU-ERWEITERUNG (DIE ANNAHMEGEMÄß IM JAHR 2005 BEGINNT) DAS REALE BIP-WACHSTUM IN DEN MOEL 8 BIS 2009 UM 1,3 BIS 2,1 PROZENTPUNKTE PRO JAHR HÖHER SEIN ALS IM BASISSZENARIO OHNE ERWEITERUNG (NACHFRAGEIMPULS DURCH ZUNAHME DES HANDELS - "TRADE CREATION"). AUSGEHEND VON DIESEN WACHSTUMSIMPULSEN IN DEN MOEL 8 UND DEN ZU ERWARTENDEN MIGRATIONSEFFEKTEN UND WETTBEWERBSEFFEKTEN IM EG-BINNENMARKT LIEFERN SIMULATIONEN MIT DEM MULTILATERALEN MAKROMODELL QUEST II KLEINE INTEGRATIONSEFFEKTE IN DER EU 15 (BIP KUMU-

LIERT +0,5% BIS +0,7% IN DER ZEHNJAHRESPERIODE 2000/2009).

LEJOUR - DE MOOIJ - NAHUIS (2001) SIMULIEREN MIT EINEM NUMERISCHEN ALLGEMEINEN GLEICHGEWICHTSMODELL (CGE-MODELL - "WORLDSCAN") FÜR 4 EU-LÄNDER UND 2 MOEL EXPLIZIT SOWIE DIE "SÜD-EU", DIE "REST-EU" UND DIE "REST-MOEL" UND FÜR 16 SEKTOREN DIE LANGFRISTIGEN AUSWIRKUNGEN DER EU-ERWEITERUNG UNTER BERÜCKSICHTIGUNG VON DREI INTEGRATIONSEFFEKTEN (TEILNAHME AN DER ZOLLUNION DER EU, TEILNAHME AM EU-BINNENMARKT UND MIGRATION) UND KOMMEN ZU ÄHNLICHEN ERGEBNISSEN WIE DIE VORLIEGENDE UNTERSUCHUNG. DEMNACH WIRD DAS REALE BIP IM JAHR 2020 IN DER EU 15 UM 0,26% HÖHER SEIN ALS OHNE ERWEITERUNG (DEUTSCHLAND +1,6%, FRANKREICH +0,0%, GROßBRITANNIEN +0,1%, NIEDERLANDE +0,2%, SÜD-EU +0,2%, REST-EU +1,0%), IN DEN MOEL ABER EBENFALLS DEUTLICH HÖHER AUSFALLEN (UNGARN +9,6%, POLEN +8,7%; MOEL 5 +2,1%, MOEL 7 +6,0%).

Für die EU und die MOEL ist die EU-Erweiterung insgesamt eine "Win-Win-Situation". Für einige EU-Länder übersteigen allerdings die Kosten den Nutzen. Dies gilt insbesondere für Spanien, Portugal und Dänemark. Die anfänglich leichten Wachstumsimpulse klingen rasch wieder ab (Übersicht 6, Abbildung 1).

Aufgrund der vorliegenden Analyse für die "MOEL 3" (Polen, Tschechien, Ungarn) kann man das Ergebnis im Falle des Beitritts der MOEL 10 ungefähr abschätzen: Da die MOEL 3 rund zwei Drittel des BIP der MOEL 10 ausmachen und engere Handelsbeziehungen zur EU unterhalten als die MOEL 10 im Durchschnitt, dürften die makroökonomischen Effekte der EU-Erweiterung um 10 MOEL sowohl in der EU als auch in den MOEL um rund ein Drittel höher sein als die hier vorgelegten Schätzungen. Das würde langfristig (bis 2010) einen kumulierten Anstieg des realen BIP von rund 12% in den MOEL und von rund $^2/_3$% in der EU bedeuten.

Werden im Zuge der Beitrittsverhandlungen die von Deutschland und Österreich geforderten Übergangsfristen von 7 Jahren für die Freizügigkeit von Arbeitskräften vereinbart, so würden zumindest die hier unter der Annahme der sofortigen Gewährung der vier Freiheiten errechneten positiven Migrationseffekte ("immigration surplus") für Deutschland (reales BIP +0,23%) und Österreich (reales BIP +0,16%; Übersicht 6) entfallen. Umgekehrt würden die leicht negativen Migrationseffekte in den MOEL (vor allem in Polen) nicht zum Tragen kommen. Durch die Vermeidung der binnenmarktbedingten Migration aus diesen Ländern in die EU würde die oft befürchtete Belastung der Arbeitsmärkte im Westen bzw. Entlastung im Osten nicht eintreten; dies könnte in Deutschland und Österreich die Akzeptanz in der Bevölkerung für die Erweiterung erhöhen.

Abbildung 1: Gesamt-BIP-Effekte der EU-Erweiterung in der EU
Reales BIP, kumulierte Abweichungen von der Basislösung in %

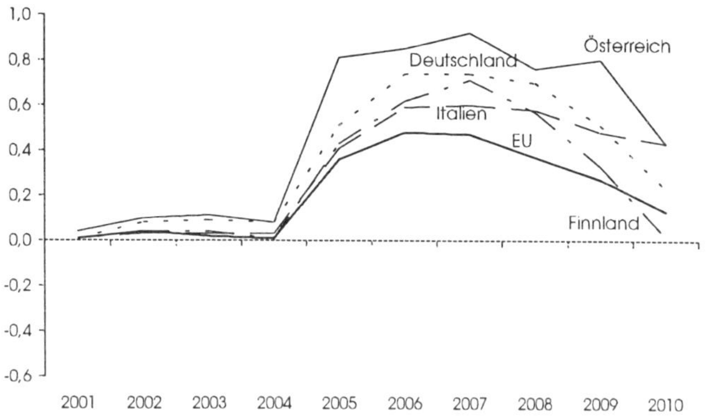

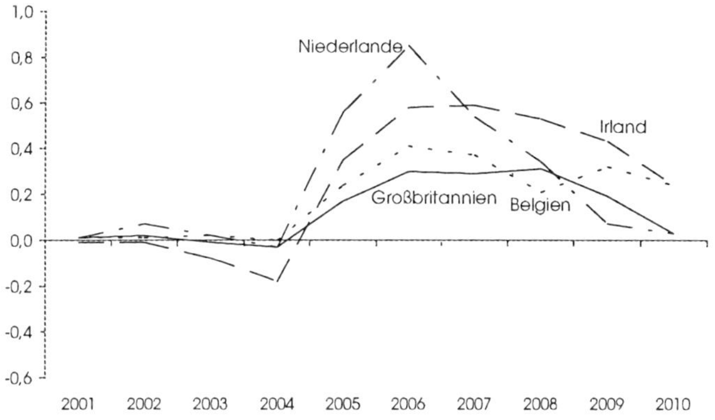

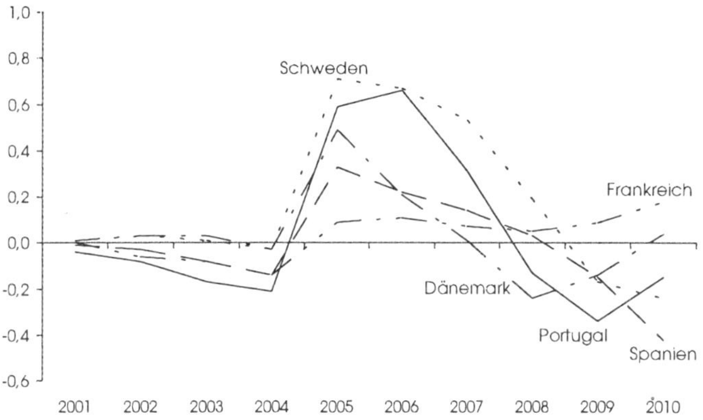

Q: Eigene Simulationen mit dem OEF Global Model.

Abbildung 2: Gesamt-BIP-Effekte der EU-Erweiterung in 3 MOEL

Reales BIP, kumulierte Abweichungen von der Basislösung in %

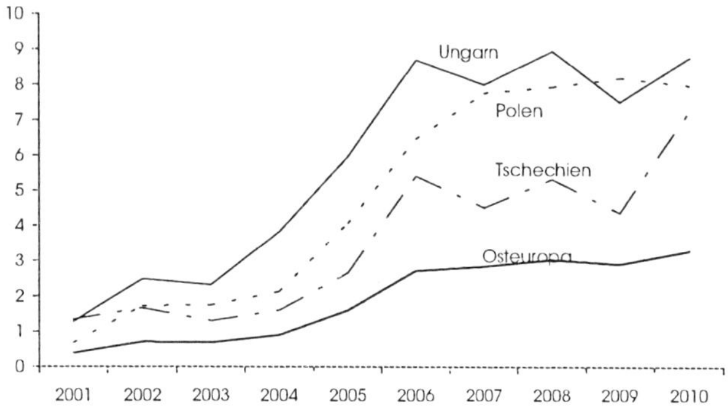

Q: Eigene Simulationen mit dem OEF Global Model.

Übersicht 7: Makroökonomische Auswirkungen der EU-Erweiterung für ausgewählte Länder

	Deutschland		Italien		Großbritannien		Spanien		Österreich		Polen		Ungarn		Tschechien	
	Ø 2005/ 2006	Ø 2008/ 2010	Ø 2005/ 2006	Ø 2008/ 2010	Ø 2005/ 2006	Ø 2008/ 2010	Ø 2005/ 2006	Ø 2008/ 2010	Ø 2005/ 2006	Ø 2008/ 2010	Ø 2005/ 2006	Ø 2008/ 2010	Ø 2005/ 2006	Ø 2008/ 2010	Ø 2005/ 2006	Ø 2008/ 2010
	Kumulierte Abweichungen von der Basislösung in %															
Bruttoinlandsprodukt																
Real	+ 0,63	+ 0,48	+ 0,50	+ 0,50	+ 0,24	+ 0,18	+ 0,28	- 0,18	+ 0,83	+ 0,66	+ 5,26	+ 8,02	+ 7,32	+ 8,40	+ 4,03	+ 5,65
Nominell	+ 0,70	+ 0,63	+ 0,37	- 0,36	+ 0,18	- 0,13	+ 0,08	- 0,30	+ 0,82	+ 0,11	+ 4,21	+ 1,87	+ 7,67	+ 8,49	+ 2,60	- 2,31
Pro Kopf, real	+ 0,52	+ 0,41	+ 0,49	+ 0,49	+ 0,23	+ 0,17	+ 0,27	- 0,18	+ 0,62	+ 0,54	+ 5,52	+ 8,18	+ 7,56	+ 8,54	+ 4,18	+ 5,75
Verfügbares persönliches Einkommen																
Nominell	+ 0,32	+ 0,33	+ 0,10	- 0,29	+ 0,01	- 0,24	- 0,02	- 0,40	+ 0,52	- 0,22	+ 3,68	+ 1,66	+ 7,06	+ 9,60	+ 2,81	+ 0,76
Real	+ 0,73	+ 0,76	+ 0,69	+ 1,04	+ 0,15	+ 0,25	+ 0,30	- 0,02	+ 1,35	+ 1,21	+ 5,66	+ 9,87	+ 8,16	+ 12,20	+ 5,72	+ 11,36
Verbraucherpreise	- 0,42	- 0,43	- 0,59	- 1,33	- 0,06	- 0,31	- 0,33	- 0,41	- 0,84	- 1,42	- 1,97	- 8,14	- 1,11	- 2,77	- 2,88	- 10,62
Beschäftigung gesamt	+ 0,09	+ 0,47	- 0,15	+ 0,02	- 0,28	+ 0,08	- 0,35	- 0,55	- 0,37	- 0,04	+ 0,45	+ 1,71	+ 0,42	+ 0,82	- 0,54	+ 0,40
Produktivität (BIP je Beschäftigten)	+ 0,53	+ 0,01	+ 0,63	+ 0,48	+ 0,51	+ 0,10	+ 0,61	+ 0,36	+ 1,20	+ 0,72	+ 4,83	+ 6,30	+ 6,91	+ 7,56	+ 4,58	+ 5,22
Relative Lohnstückkosten (realeffektiver Wechselkurs)	- 0,16	+ 1,36	- 0,47	- 0,09	- 0,09	- 0,41	- 0,17	+ 0,83	- 0,18	- 0,01	+ 3,04	+ 5,51	+ 4,69	+ 3,57	+ 4,85	+ 10,42
	Kumulierte Abweichungen von der Basislösung in Prozentpunkten															
Arbeitslosenquote	+ 0,11	- 0,21	+ 0,15	+ 0,06	+ 0,28	- 0,05	+ 0,32	+ 0,53	+ 0,60	+ 0,20	- 0,63	- 1,33	- 0,52	- 0,39	+ 0,43	- 0,15
Leistungsbilanz, in % des BIP	+ 0,04	+ 0,24	- 0,05	- 0,21	+ 0,04	+ 0,21	- 0,33	- 0,15	- 0,04	+ 0,40	+ 3,07	+ 4,87	- 1,04	- 5,28	+ 3,09	+ 3,57
Staatshaushalt, in % des BIP	+ 0,11	+ 0,29	+ 0,10	- 0,00	- 0,07	+ 0,12	- 0,06	- 0,23	+ 0,12	+ 0,25	+ 2,48	+ 6,12	+ 4,56	+ 3,85	+ 0,83	+ 1,90
Kurzfristige Zinssätze	- 0,18	+ 0,72	- 0,18	+ 0,72	+ 0,13	+ 0,20	- 0,18	+ 0,72	- 0,18	+ 0,72	- 3,95	- 4,26	- 1,46	+ 5,81	+ 2,04	+ 5,54

Q: Eigene Simulationen mit dem OEF World Macroeconomic Model.

Übersicht 8: Makroökonomische Auswirkungen der EU-Erweiterung auf Österreich

	2001	2002	2003	2004	2005	2006	2007	2008	2009	2010
	Kumulierte Abweichungen von der Basislösung in %									
Bruttoinlandsprodukt										
Real	+ 0,04	+ 0,10	+ 0,11	+ 0,08	+ 0,81	+ 0,85	+ 0,92	+ 0,76	+ 0,80	+ 0,43
Nominell	+ 0,04	+ 0,13	+ 0,19	+ 0,27	+ 0,96	+ 0,68	+ 0,53	+ 0,20	+ 0,18	- 0,06
Pro Kopf, real	+ 0,04	+ 0,10	+ 0,11	+ 0,08	+ 0,59	+ 0,65	+ 0,74	+ 0,61	+ 0,67	+ 0,33
Verfügbares persönliches Einkommen										
Nominell	+ 0,02	+ 0,08	+ 0,14	+ 0,23	+ 0,54	+ 0,50	+ 0,25	- 0,03	- 0,21	- 0,42
Real	+ 0,01	+ 0,07	+ 0,07	+ 0,07	+ 1,24	+ 1,46	+ 1,47	+ 1,38	+ 1,24	+ 1,00
Verbraucherpreise	± 0,00	+ 0,02	+ 0,08	+ 0,15	- 0,72	- 0,96	- 1,21	- 1,37	- 1,47	- 1,42
Beschäftigung gesamt	+ 0,01	+ 0,03	+ 0,03	+ 0,04	- 0,27	- 0,46	- 0,34	- 0,30	+ 0,04	+ 0,14
Produktivität (BIP je Beschäftigten)	+ 0,03	+ 0,07	+ 0,07	+ 0,04	+ 1,09	+ 1,31	+ 1,28	+ 1,09	+ 0,78	+ 0,30
Relative Lohnstückkosten (real-effektiver Wechselkurs)	- 0,06	- 0,03	+ 0,06	+ 0,17	- 0,35	± 0,00	- 0,16	- 0,06	- 0,13	+ 0,16
	Kumulierte Abweichungen von der Basislösung in Prozentpunkten									
Arbeitslosenquote	- 0,01	- 0,03	- 0,03	- 0,03	+ 0,52	+ 0,68	+ 0,54	+ 0,48	+ 0,11	+ 0,01
Leistungsbilanz, in % des BIP	+ 0,02	+ 0,07	+ 0,13	+ 0,13	- 0,05	- 0,02	+ 0,20	+ 0,25	+ 0,50	+ 0,44
Staatshaushalt, in % des BIP	+ 0,01	+ 0,05	+ 0,06	+ 0,06	+ 0,10	+ 0,14	+ 0,22	+ 0,22	+ 0,28	+ 0,24
Kurzfristige Zinssätze	+ 0,01	+ 0,08	+ 0,16	+ 0,16	- 0,41	+ 0,05	+ 0,32	+ 0,55	+ 0,72	+ 0,90

Q: Eigene Simulationen mit dem OEF World Macroeconomic Model.

Da der Wachstumsimpuls durch die Erweiterung in den MOEL stärker ausfällt als in der EU, trägt die Integration zur Konvergenz des BIP pro Kopf mit jenem der EU 15 bei; dies verringert mittel- bis langfristig das Migrationspotential. Gemäß den Simulationen mit dem OEF-Weltmakromodell werden die Währungen der MOEL - dem Balassa-Samuelson-Effekt entsprechend - nach der EU-Erweiterung real aufgewertet.

Die EU-Erweiterung hat nicht nur unterschiedliche Auswirkungen auf das reale BIP der EU-Mitgliedstaaten und der MOEL, auch die Folgen für die Arbeitsmärkte und die Preisentwicklung sind sehr verschieden (Übersicht 7): Die Erweiterung ist im ökonomischen Sinn als "externer Schock" aufzufassen, der in den alten und neuen Mitgliedstaaten asymmetrisch wirkt. Die zentral von der EZB gesteuerte Geldpolitik in der Euro-Zone wird daher kurz nach der Erweiterung eher erschwert als erleichtert. Erst nach dem Abklingen der Schockwellen der Erweiterung kann man mit einer weiteren Synchronisierung der Konjunkturzyklen in der Euro-Zone rechnen.

Effekte auf einzelne makroökonomische Indikatoren in Österreich

Der zeitliche Verlauf wichtiger makroökonomischer Größen kann anhand der Entwicklung in Österreich, das unter den aktuellen EU-Mitgliedstaaten von der Erweiterung am stärksten betroffen sein wird, beispielhaft gezeigt werden (Übersicht 8).

In den ersten drei Jahren nach der Erweiterung um drei MOEL würde Österreich einen kumulierten BIP-Impuls von fast 1% erhalten, der allmählich ausläuft. Fast ein Viertel bis zur Hälfte davon stammt aus einer Komponente des "Binnenmarkteffekts", nämlich vom angenommenen Produktivitätsschock. Der Produktivitätsschock besteht in einer Dämpfung der Kosten und damit der Preise und hat eine Stärkung der Kaufkraft und somit der inländischen Nachfrage zur Folge.

Allerdings geht die Produktivitätssteigerung zulasten der Arbeitskräftenachfrage. Daher sinkt anfänglich die Zahl der Beschäftigten um rund $\frac{1}{3}$%. Erst nach Abklingen des Produktivitätsschocks werden wieder mehr Arbeitskräfte nachgefragt. Falls der Produktivitätsschock nicht eintritt, erhöht sich die Zahl der unselbständig Beschäftigten nach der EU-Erweiterung sofort um rund $\frac{1}{3}$%. Das reale BIP würde jedoch in diesem Fall in den ersten drei Jahren weniger stark wachsen (lediglich +$\frac{2}{3}$% gegenüber fast +1% in der Vollvariante).

Analog muss im Zuge der Erweiterung unter der Annahme der vollen Binnenmarkteffekte (Produktivitätsschock und Verschärfung des Preiswettbewerbs) und der Migrationseffekte anfangs mit einem geringen Anstieg der Arbeitslosenquote um ½ bis $\frac{2}{3}$ Prozentpunkte gerechnet werden. Dieser Effekt klingt ab. Ohne explizite Berücksichtigung der Produktivitätseffekte würde die Arbeitslosenquote gleich nach der Erweiterung leicht zurückgehen.

Die EU-Erweiterung hat über positive Handelseffekte eine leichte Verbesserung der Leistungsbilanz zur Folge. Diese positiven Einflüsse werden anfänglich durch negative Binnenmarkteffekte (reale Kaufkraftsteigerung bewirkt Importausweitung) gedämpft. Kumuliert bis zum Jahr 2010 bewirkt die Erweiterung insgesamt aber eine Verbesserung der Leistungsbilanz in Österreich. Die relative Wettbewerbsfähigkeit (relative Lohnstückkosten oder real-effektiver Wechselkurs) verbessert sich zu Beginn infolge des Produktivitätsschocks; dieser Effekt klingt über die Zeit rasch ab.

Die Wachstumsbeschleunigung bedeutet über eine Zunahme der Steuereinnahmen - trotz der geringfügigen Kosten der Erweiterung - eine Entlastung des Staatshaushalts. Der Finanzierungssaldo des öffentlichen Sektors (Gesamtstaat) verbessert sich um rund 0,1% des BIP (am Beginn der Erweiterung im Jahr 2005) bis ¼% des BIP im Jahr 2010. Insofern erleichtert die EU-Erweiterung die mittelfristige Konsolidierung der Staatsfinanzen, wie sie vom Stabilitäts- und Wachstumspakt gefordert wird (siehe auch *Breuss - Lehner*, 2001).

Der einheitliche kurzfristige Zinssatz sinkt zu Beginn der Erweiterung im Euro-Raum (und damit auch in Österreich; hauptsächlich bedingt durch einen der Binnenmarkteffekte, nämlich die Intensivierung des Preiswettbewerbs), steigt aber im Laufe der Zeit wieder, teilweise auch aufgrund des zusätzlichen Kapitalbedarfs zur Finanzierung der Direktinvestitionen in den neuen Mitgliedstaaten.

Literaturhinweise

Baldwin, R. E., Francois, J. F., Portes, R., "The Costs and Benefits of Eastern Enlargement: The Impact on the EU and Central Europe", Economic Policy, 1997, S. 127-176.

Baldwin, R. E., Venables, A. J., "Regional Economic Integration", in Grossman, G., Rogoff, K. (Hrsg.), Handbook of International Economics. Vol. III, Elsevier Science B.V., Amsterdam, 1995, S. 1597-1644.

Bartolini, L., Symansky, St., "Macroeconomic Effects on Western Europe of the Opening Up of Eastern Europe: Some Simulation Results", in de Fontenay, P., Gomel, G., Hochreiter, E. (Hrsg.), Western Europe in Transition: The Impact of the Opening Up of Eastern Europe and the Former Soviet Union, Banca d'Italia, International Monetary Fund, Oesterreichische Nationalbank, Washington D.C., 1995, S. 15-47.

Boeri, T., Brücker, H., The Impact of Eastern Enlargement on Employment and Labour Markets in the EU Member States, DIW, CEPR, FIEF, IGIER, IHS, Berlin-Mailand, 2000.

Borjas, G. J., "The Economic Benefits from Immigration", The Journal of Economic Perspectives, 1995, 9(2), S. 3-22.

Breuss, F., "Costs and Benefits of EU Enlargement in Model Simulations", IEF Working Papers, 1999, (33).

Breuss, F. (2000A), "An Evaluation of the Economic Effects of Austria's EU Membership", Austrian Economic Quarterly, 2000, 5(4), S. 171-196.

Breuss, F. (2000B), "The Role of Time in EU Enlargement", in Arndt, S., Handler, H. (Hrsg.), Eastern Enlargement: The Sooner, the Better?, European Academy of Excellence, Austrian Ministry for Economic Affairs and Labour, Wien, 2000, S. 118-132.

Breuss, F., "Macroeconomic Effects of EU Enlargement for Old and New Members", WIFO Working Papers, 2001, (143).

Breuss, F., Lehner, G., PREPARITY - Strukturpolitik und Raumplanung in den Regionen an der mitteleuropäischen EU-Außengrenze zur Vorbereitung auf die EU-Osterweiterung. Teilprojekt 12/2: Die Auswirkungen der EU-Erweiterung auf den österreichischen Staatshaushalt, WIFO, Wien, 2001.

Breuss, F., Schebeck, F., "Kosten und Nutzen der EU-Osterweiterung für Österreich", WIFO-Monatsberichte 1998, 71(11), S. 741-750.

Brown, D., Deardorff, A., Djankov, S., Stern, R., "An Economic Assessment of the Integration of Czechoslovakia, Hungary, and Poland into the European Union", in Black, St. W. (Hrsg.), Europe's Economy Looks East. Implications for Germany and the European Union, Cambridge University Press, Cambridge, U.K., 1997, S. 23-60.

Casella, A., "Large Countries, Small Countries and the Enlargement of Trade Blocks", European Economic Review, 1996, 40(2), S. 389-415.

Catinat, M., Donni, E., Italianer, A., "The Completion of the Internal Market: Results of Macroeconomic Model Simulations", European Commission, Economic Papers, 1988, (65).

DIW, "EU-Osterweiterung: Keine massive Zuwanderung zu erwarten", DIW-Wochenbericht, 2000, 67(21), S. 315-332.

DIW, "EU-Osterweiterung finanzierbar - Reformdruck wächst. Szenarien für den EU-Haushalt 2007 und 2013", DIW-Wochenbericht, 2001, 68(36).

Europäische Kommission, "The EU Economy. 2000 Review", European Economy, 2000, (71).

Europäische Kommission (2001A), Einheit Europas, Solidarität der Völker, Vielfalt der Regionen. Zweiter Bericht über den wirtschaftlichen und sozialen Zusammenhalt, Brüssel, 2001 (von der Europäischen Kommission am 31. Februar 2001 verabschiedet).

Europäische Kommission (2001B), "Exchange Rate Aspects of Enlargement", European Economy, Supplement C, Economic Reform Monitor, 2001, (1).

Europäische Kommission (2001C), The Free Movement of Workers in the Context of Enlargement, Information note of the European Commission, Brüssel, 6. März 2001.

Europäische Kommission (2001D), "The Economic Impact of Enlargement", Directorate General for Economic and Financial Affairs, Enlargement Papers, 2001, (4).

Gács, J. (Koordination), PREPARITY - Strukturpolitik und Raumplanung in den Regionen an der mitteleuropäischen EU-Außengrenze zur Vorbereitung auf die EU-Osterweiterung. Teilprojekt 2: Macroeconomic Developments in the Candidate Countries with Respect to the Accession Process, WIFO, Wien, 1999.

Hoffmann, A. N., "The Gains from Partial Completion of the Single Market", Weltwirtschaftliches Archiv, 2000, 136(4), S. 601-630.

Keuschnigg, Ch., Kohler, W., Eastern Enlargement to the EU: Economic Costs and Benefits for the EU Present Member States. The Case of Austria, European Commission, Study XIX/B1/9801, Brüssel, 1999 (mimeo).

Keuschnigg, Ch., Keuschnigg, M., Kohler, W., Eastern Enlargement to the EU: Economic Costs and Benefits for the EU Present Member States? Germany, Studie im Auftrag der Europäischen Kommission, Universität Linz und Universität des Saarlandes, Linz, 1999.

Kohler, W., "Wer gewinnt, wer verliert durch die Osterweiterung der EU?", in Hoffmann, L. (Hrsg.), "Jahrestagung 1999: Erweiterung der EU", Schriften des Vereins für Socialpolitik, 2000, 274, S. 27-77.

Lejour, A. M., de Mooij, R. A., Nahuis, R., "EU Enlargement: Economic Implications for Countries and Industries", CPB Document, 2001, (011).

Neck, R., Haber, G., McKibbin, W. J., "Macroeconomic Impacts of an EU Membership of Central and Eastern European Economies", Ludwig Boltzmann Institut zur Analyse wirtschaftspolitischer Aktivitäten, Forschungsbericht, 1999, (9917).

Neck, R., Schäfer, G., "Gesamtwirtschaftliche Auswirkungen westlicher Kredite an die Reformländer", in Holzmann, R., Neck, R. (Hrsg.), Ostöffnung: Wirtschaftliche Folgen für Österreich, Manz, Wien, 1996, S. 155-192.
OEF, "The Oxford World Macroeconomic Model - An Overview", Oxford Economic Forecasting, 2000.
Rodrik, D., The Development Countries' Hazardous Obsession with Global Integration, Wien, 2001 (mimeo).

"Neues Europa": Chancen und Auftrag für Christen

von Paul Iby

1. Neues Europa und Kirche

Es bedeutet keine Fleißaufgabe, dass sich die Kirche, vor allem die Bischofskonferenzen des Europäischen Raumes, mit der Frage Europa und Erweiterung der Europäischen Union befassen. In der Österreichischen Bischofskonferenz gehören diese Themen schon seit Jahren in die Tagesordnung. Hierbei geht es nicht nur um die Vertretung der Österreichischen Bischofskonferenz in Brüssel durch ein eigenes Büro und die Beobachtung und Stellungnahmen zu Dokumenten und Gesetzen der Europäischen Union, sondern auch um die Behandlung der Fragen der „Osterweiterung" der EU bzw. um Überlegungen, wie Österreich seine "Brükkenfunktion" zu den Nachbarländern bzw. Nachbardiözesen wahrnehmen kann.

In dieser Richtung ist einiges schon geschehen, anderes ist in Vorbereitung bzw. Fortsetzung. Ich darf hierzu Beispiele aus Österreich und auch aus der Diözese Eisenstadt anführen:

- Symposium von Bischöfen sowie Diözesanverantwortlichen aus Ländern mit gemeinsamer Schengen-Grenze, Kleinmariazell, 27. - 29. September 2000.
- Nachfolgetreffen dieses Symposiums vom 12. - 14. September 2002 in Celje, Slowenien.
- "Eurovisionen"', Treffen von Jugendlichen aus BRD, Ungarn, Tschechien und Österreich, Eisenstadt, 18. -23. September 2001.
- Sitzung des Pastoralrates der Diözese Eisenstadt und Begegnung mit Verantwortlichen der Diözese Szombathely, Szombathely 3. April 2002.
- Symposion der europäischen Bischöfe zum Thema: Junge Menschen Europas im Wandel. Laboratorium des Glaubens.", Rom, 24. - 28. April 2002.

- Mitteleuropäische Großveranstaltung in Mariazell im Jahre 2004 mit vorbereitenden, grenzüberschreitenden, diözesanen Veranstaltungen im Jahre 2003.
Das sind nur einige Mosaiksteine, die zeigen, dass die Kirche Österreichs mit großem Interesse die Entwicklung der Europäischen Union beobachtet und sich bemüht, sich dafür einzusetzen, dass die Werte unseres Glaubens beachtet und dass unsere Nachbarländer in die größere Einheit aufgenommen werden.

2. Christliche Werte in der erweiterten Europäischen Union

Der christliche Glaube hat Europa in den vergangenen Jahrtausenden tief geprägt. Vielleicht ist uns oft gar nicht bewusst, wie sehr unser Leben davon gekennzeichnet ist. Wir müssen den heute lebenden Generationen in Europa die gemeinsame christliche Vergangenheit ins Bewusstsein rufen. Machen wir ein Gedankenexperiment: Was wäre unser Österreich, Europa - auch das Europa, das bis vor 13 Jahren vom Kommunismus beherrscht wurde - ohne die vielen Kulturschätze, die Klöster, Dome und Kirchen, die Spitäler und sozialen Einrichtungen. Wie arm wäre Europa? All das ist aus dem Glauben unserer Ahnen, aus dem Mitgefühl mit der Not der anderen entstanden. Die Bildungseinrichtungen sind auf dem Mutterboden christlicher Werte gewachsen.
Das soll jetzt kein überhebliches Sich - auf- die - Schulter - Klopfen sein, aber wir sollten uns bewusst sein, dass wir ein großes Erbe zu verwalten haben, dass wir einen großen Auftrag haben.
Dieser Auftrag wurde vom II. Vatikanischen Konzil am Beginn des Dokumentes "Gaudium et spes" auch formuliert, wenn es dort heißt, dass sich die Kirche gemäß ihrer Bestimmung um die Sorgen und Nöte der Menschen kümmern soll. Was sind nun "die christlichen Werte" für ein erweitertes Europa? Ich meine, es sind dies:

• Religiöse Werte
• ethische Werte
• sittlich - moralische Werte

3. Religiöse Werte

Im christlichen Gottesbild und im christlichen Menschenbild, wonach Gott der Ursprung der Welt und des Menschen ist, haben die religiösen Werte ihr Fundament. Der Glaube an Gott den Vater, die Gottes-Ebenbildlichkeit des Menschen und, von da begründet, die unzerstörbare Würde des Menschen, die freie Religionsausübung (dazu gehört auch Religionsunterricht).
In der Bibel, im Buch Genesis, heißt es in Kapitel I Vers 26: "Dann sprach Gott: Lasst uns Menschen machen als unser Abbild, uns ähnlich". Der Mensch ist Abbild Gottes - diese eigentlich ungeheuerliche Aussage der Bibel bedeutet ungeheure Würde des Menschen und ebensolche Verpflichtung zur Verantwortung gegenüber den Mitmenschen und der Schöpfung.

4. Ethische Werte des Christentums

Die Würde des Menschen als Abbild Gottes bedeutet den Auftrag
- zur Sorge für ein menschenwürdiges Leben,
- zum gerechten Anteil an Lebensgütern,
- zum Schutz des Lebens von Anfang bis zum natürlichen Ende,
- und zum Respekt vor dem Gewissen des Menschen.

Die Kultur der Nächstenliebe und Humanität. Es entspricht dem Geist der Botschaft Jesu, denke ich, dass man Nächstenliebe auch mit Geschwisterlichkeit umschreiben kann. "Du sollst Gott lieben und deinen Nächsten wie dich selbst", so fasst Jesus seine Botschaft zusammen. Der Philosoph Martin

Buber hat dieses Wort "Liebe deinen Nächsten wie dich selbst" so übersetzt: "Liebe deinen Nächsten, denn er ist wie du".

Die Werte von Ehe und Familie: Familie meint nach christlichem Verständnis ein von Zuneigung, Vertrauen, Verantwortung und Rücksichtnahme getragenes Zusammenleben von Eltern und Kindern auf der Grundlage einer Ehe zwischen Mann und Frau (Erklärung der Kommission der Bischofskonferenzen der Europäischen Gemeinschaft vom November 1994)

Die Menschenrechte, die wohl kaum ohne die jüdisch- christliche Basis möglich geworden wären, der Schutz der Minderheiten und der Einsatz für den Frieden in der Welt.

Vor einigen Monaten haben Dr. Erhard Busek und der ehemalige slowenische Regierungschef Prof. Alojz Peterle in Wien vor österreichischen Kirchenzeitungs-Journalisten gesagt: Christen und Christinnen in Europa könnten Menschenwürde und Frieden sicherstellen. "Europa braucht mehr christliche Optimisten und weniger ängstliche Rechner." Erinnern möchte ich in diesen Zusammenhang an die Seligpreisungen Jesu der Bergpredigt, dort heißt es wörtlich "Selig, die Frieden stiften, denn sie werden Töchter und Söhne Gottes genannt werden" (Mt 5,9).

5. Sittlich-moralische Werte

Aufgabe des Christentums ist es, die Achtung der grundlegenden moralischen Werte einzumahnen. Das bedeutet auch: Grenzen in der Biomedizin und Biotechnologie, Respekt der göttlichen und menschlichen Gesetze. Die Hilflosigkeit gerade heute gegenüber unmenschlichen Anschlägen und Terror zeigt, dass Sicherheitsmaßnahmen und Polizei allein - so wichtig sie sind - hier nicht Abhilfe schaffen können. Ausschlaggebend ist und bleibt die grundsätzliche Einstellung zur Würde der menschlichen Person und des menschlichen Lebens. Da kommt den Kirchen eine ganz entscheidende Aufgabe zu.

Eine Aufgabe der Kirche ist es auch, sich dafür einzusetzen, dass die europäischen Völker (auch in einem erweiterten Europa) nicht immer mehr zu einer säkularisierten Gesellschaft sich entwickeln, in der Gott nur mehr in Sonntagsreden vorkommt und wo nur von Humanismus und Humanität die Rede ist. Auch sollten wir nicht unterschätzen, welche (oft leidvollen Erfahrungen), die Mitmenschen aus den ehemaligen Ostblockstaaten in ein vereintes Europa einbringen können. Bei allem Respekt vor dem Humanismus darf man doch auch die Frage stellen:
Wo findet der Mensch im Ernstfall und im Krisenfall ein tragendes Fundament. Eine Nebenbemerkung: der erfreuliche Einsatz für Behinderte heute ist genuin christlichen Ursprungs. Aber - diese Frage erscheint heute berechtigt: Was ist, wenn all das finanziell zu aufwendig wird? Aus welchen Motiven speist sich dann menschenfreundlicher Humanismus?

6. Schluss

Angesichts der Vorbereitungen für die Erweiterung der Europäischen Union ist festzustellen: Es ist eine besondere Chance der Kirche, diese Herausforderung als Kairos wahrzunehmen und mit der Botschaft des Evangeliums die weitere Entwicklung Europas in einem Geiste der Geschwisterlichkeit zu stärken bzw. Korrekturen zu empfehlen.
Kardinal Karl Lehmann hat dies vor kurzen als "geistige und spirituelle Schrittmacherfunktion bezeichnet". Ganz entscheidend ist und bleibt - im Sinne der christlichen Botschaft -, dass wir als Christen trachten, unsere Werte und unseren Glauben glaubwürdig zu leben und den Dialog als Weg zur Geschwisterlichkeit zu üben.
Ich möchte meine Gedanken zu "Neues Europa" mit einem Zitat abschließen, das in einer Abhandlung der Kath. Aktion zur Vorbereitung der mitteleuropäischen Großveranstaltung unter dem Gedanken "Christsein ist grenzen-los" niedergeschrieben ist:

”*Angesichts des zusammenwachsenden Europas, das nicht nur eine Wirtschaftsgemeinschaft bleiben, sondern zu einer Gemeinschaft der Werte werden soll, gehen wir auf Grenzen in Europa zu - auf verschwindende und auf neu entstehende, die das Leben bedrohen - und finden im Licht des Evangeliums neue Lebensmöglichkeiten.*

Wir überschreiten die Grenzen zwischen Kirche und Gesellschaft und präsentieren die Erfahrung des Glaubens als zwar anspruchsvollen und unbequemen, aber fruchtbaren Beitrag zur Gestaltung menschlichen Zusammenlehens." (Aus der Dokumentation ”Christsein ist grenzenlos, Kirche auf dem Weg in ein neues Europa", Vorlage für die Österreichische Bischofskonferenz vom 25. - 27. Juni 2001 in Matrei am Brenner)

Reichen die seelischen Kräfte? Transformationsstress und Inspiration für ein neues Europa

von Isidor Baumgartner

1. Transformationen in Europa

Es gibt heute in Europa zwei gravierende Transformationsprozesse:

1. Wirtschaftliche Transformation: Sie betrifft massiv und dramatisch die Länder Mittel-Osteuropas, die EU-Beitrittskandidaten.

2. Soziokulturelle Transformation: Sie betrifft die genannten Länder etwas verzögert – aber vor allem auch die Länder Westeuropas.

Dies bedeutet zum einen: Die Länder Osteuropas befinden sich in einer doppelten Transformation. Zum Andern: Bei aller Eigentümlichkeit der je besonderen nationalen Geschichte, politischen, kulturellen, religiösen Tradition im Osten wie im Westen bilden die Menschen in Europa heute eine Schicksalsgemeinschaft. Sie sitzen im selben Boot angesichts der epochalen soziokulturellen Herausforderungen, die in der Postmoderne[7] bewältigt sein wollen.

---

[7] Der Begriff "Postmoderne" unterliegt einem unscharfen Gebrauch. Dennoch macht er deutlich, dass die gegenwärtigen Herausforderungen (funktionale Differenzierung, Pluralisierung, Subjektorientierung) mit der Moderne in Zusammenhang stehen, vor allem ihre Beschleunigung, Intensivierung und Verbreiterung seit den 60er Jahren betonen. Moderne wird zur radikalisierten, vollendeten Moderne, die die Menschen im Leben direkt betrifft. Wenn über diese entfaltete Moderne reflektiert wird, stellt man fest, dass die Grenzen und Enttäuschungen der letzten Jahrzehnte nicht mehr dem Festhalten an den Traditionselementen anzulasten sind, sondern den inhärenten Impulsen der Moderne selbst. Unter Umständen entdeckt man gar eine dadurch ausgelöste völlige Dekonstruktion von Konzepten über das Subjekt und seine Welt. Postmoderne meint also sowohl die vollentfaltete Moderne, als auch einen neuen Diskurs über die Moderne. Vgl. Wittrahm, Andreas,

Ich werde mich auf den zweitgenannten Transformationsprozess konzentrieren. Implizit dürfte aber auch der erste, der wirtschaftliche Wandel mit seinen Auswirkungen zur Sprache kommen. Denn die entscheidende Frage in beiden Transformationsprozessen ist die gleiche: Wo bleibt der Mensch? Welche Auswirkungen zeitigen Veränderungen auf der Makroebene für die konkrete, namentliche Person? Was bedeutet es für sie im Alltag, arbeitslos zu sein, aus institutionellen Bindungen herausgerissen zu werden und öffentliche Anerkennung zu verlieren?

Für die soziokulturelle Transformation sehe ich fünf Megatrends, deren Auswirkungen auf die Person zu skizzieren sind:

1. Globalisierung
2. Krise des Fortschrittsglaubens
3. Pluralisierung
4. Individualisierung
5. Religiöser Gestaltwandel

Die daraus abzuleitenden psychischen Befindlichkeiten bei den betroffenen Menschen sind zu skizzieren. Es sei aber vor kurzschlüssigen Belastungshypothesen gewarnt. So läßt sich beispielsweise zeigen, dass das Konzept der "Erlebnisgesellschaft", das hier nur am Rande thematisiert wird, keineswegs nur "Erlebnisstreß" beschreibt, sondern angemessene Erlebnis- und Genußfähigkeit für die seelische Gesundheit als unabdingbar erachtet.[8]

2. Globalisierung

Mit dem nicht zuletzt im Zusammenhang der Ereignisse des 11. September 2001 inflationär gebrauchten Begriff "Globalisierung" verbindet sich das wirtschaftliche Projekt einer welt-

---

Seelsorge, Pastoralpsychologie und Postmoderne, Stuttgart-Berlin-Köln 2001, 73-77.

[8] Wittrahm, Andreas, Pastoralpsychologie, 74, Anm. 8.

weiten Integration der Märkte für Güter und Dienstleistungen. Viele Menschen in Europa haben den Eindruck, dass sie vielfach nicht zu den Gewinnern der wirtschaftlichen Globalisierung zählen. Sie fühlen sich eher ausgeliefert an Big-Business, Big-Money und Big-Science. Ihre Arbeitsplätze und damit das wirtschaftliche Auskommen für sich und ihre Kinder erscheint ihnen ungesichert. Zukunftsängste plagen sie. Man sieht nichts, was man dem entgegensetzen könnte. Da hilft keine wohlfeile Rhetorik von "Mehr Leistung!", "Gürtel enger schnallen!" oder "Ärmel hochkrempeln!" Die Verhältnisse scheinen nicht beeinflußbar, nicht kontrollierbar. Die Überzeugung, dass jeder Einzelne mehr Verantwortung für sich selbst übernehmen soll, ist in Osteuropa von 40% auf 30% Zustimmung zurückgegangen. Im Westen beträgt der Rückgang 1%.[9] Ein Verlust der Kontrollüberzeugung ist zu diagnostizieren. Psychologen rechnen sie zu den Ankern einer gesunden Persönlichkeit.[10] Wo diese sogenannte "Selbstwirksamkeit" ausfällt, macht sich Apathie, aber auch Aggression breit. Das Ohnmachtsgefühl, nur wenig Einfluß auf die eigene Situation zu haben, hat sich vor allem in den ehemals kommunistischen Ländern, vor allem Ungarn, Slowakei, Litauen, Polen seit 1990 verschärft, von 15% auf 20% der Bevölkerung (Ungarn).[11]
Wirtschaftliche Globalisierung wirkt sich auf die kulturellen und politischen Handlungsmuster aus: Die in globalisierten Wirtschaftsverhältnissen zugemutete Mobilität und Flexibilität haben für nicht wenige einen hohen Preis. Sie destabilisieren Partnerbeziehungen, familiäre und nachbarschaftliche Zuge-

---

[9] Gericke, Joachim/Hemedinger, Fritz, Soziale Sicherheit zwischen Selbstverantwortung, Zivilgesellschaft und Staat, in: Denz, Herrmann (Hg.), Die europäische Seele. Leben und Glauben in Europa, Wien 2002, 149-178, 155.
[10] Vgl. z. B. Grawe, Klaus, Psychologische Therapie, Göttingen u. a. 1998, 383-420. Unter Bezug auf Epstein fokussiert er neben einem "Bedürfnis nach Orientierung und Kontrolle" die Bedürfnisse nach Wohlbefinden, Bindung und Selbstwerterhöhung als wichtige Indikatoren für gesunde seelische Entwicklung.
[11] Tomka, Miklós; Wertepräferenzen in Ost und West, in: Denz, Herrmann (Hg.), Die europäische Seele. Leben und Glauben in Europa, Wien 2002, 179-204, 186.

hörigkeit. Der nicht durch Familie und Kinder behinderte, allerorts und allzeit verfügbare Mitarbeiter scheint gefragt.

- Globalisierung zielt auf Entgrenzung, auf Vereinheitlichung. Sie geht über das Einzigartige, Singuläre, über spezifische Kulturen und Traditionen hinweg.
- Sie verdinglicht, reduziert alle Regeln auf das Gesetz des Marktes, alle Werte auf kommerziellen Tauschwert, das Wahre zur Ware. Sie kolonialisiert Bewußtsein. Die Person wird degradiert zum Marktteilnehmer, zum Anbieter und Kunden. Alles Nicht-Monetäre, alles Ethische, Geistige, Humane, Religiöse wird marginal. Damit entfremdet Globalisierung. Sie weckt die berechtigte Sorge, die Humanität könnte auf der Strecke bleiben, Humanisierung der Lebensverhältnisse aus der weltpolitischen Agenda verschwinden.

Schubkraft erhielt die Globalisierung in den letzten Dekaden durch die neue Leittechnologie der elektronischen Informationstechnologie. Die Schattenseite der weltweiten Vernetzung mit ihrer Daten-, Nachrichten- und Bilderflut färbt auf Einstellungen, Überzeugungen, Weltanschauungen, Wirklichkeitsdeutungen und Plausibilitäten ab. Die Haltepunkte verläßlicher Wertorientierung verschwimmen. Diffuse, inkonsistente Deutungsfragmente lassen sich nur noch zur collagenartigen Patchwork-Identität zusammenfügen. Desorientierung ist die Folge. In globalisierten Verhältnissen gibt es äußerlich wie innerlich keine geschlossenen Welten mehr, aber viel deformierte Identität, viel Orientierungs- und Inspirationsbedarf.[12]

3. Krise des Fortschrittsglaubens

Im Projekt der Moderne hatte das Programm Naturbeherrschung durch Wissenschaft und Technik ungebrochene Gül-

---

[12] Vgl. Renöckl, Helmut, Katholische Identität: Glaubwürdige Hoffnung – zukunftsfähige Lebenskultur, in: Ders. (Hg.), Neue Religiosität fasziniert und verwirrt, Budapest-Würzburg 2001, 154-170.

tigkeit. Diese Leitidee ist in die Krise geraten. Der Fortschrittsglaube verliert Anhänger. Aus mehreren Gründen:

a) Die Verwissenschaftlichung der Zivilisation sorgt nicht für mehr, sondern für weniger Orientierungssicherheit beim Normal-Bürger. Die von den Naturwissenschaften entzauberte Welt, die von der Technik eröffneten Chancen und Gefahren – man denke nur an den Bio- und Gen-Bereich – bleiben Experten-Sachen, undurchschaubar, unentscheidbar. Die Welt bleibt dem Durchschnittsbürger fremd, die Zukunft ungewiss.[13]

b) Die permanente Innovation und Modernisierung, der technologische Fortschritt haben den Wandel und das Neue zu einem Wert an sich erhoben. Im Zeitalter der Beschleunigung gerät der technisierte Alltag zum Kampf ums Mithalten-Können, beruflich, intellektuell, psychisch. Hektik nimmt zu. Die Menschen werden atemlos.

c) In der Wissensgesellschaft steht instrumentelles Wissen und Können hoch im Kurs. Man vergleiche dazu die sog. Universitätsreformen der letzten Jahre. Umfassendes Lebenswissen über naturwissenschaftlich-technisch Verwertbares hinaus muß sich zunehmend legitimieren. Darüber hinaus geraten ökonomisch wertlose humane Fähigkeiten ins Abseits: Das Staunen, die Achtsamkeit für das Einmalige des Augenblicks, das Überraschende, Unvorhergesehene, Zufällige, aber auch für das Beunruhigende, Unbequeme, Störende, Andere, Fremde. Mit Viktor von Weizsäcker gesprochen, kommt dem Homo technicus die pathische Dimension abhanden.[14] Mensch sein sei auch Sein-lassen, Aufhören, Warten-können, Zufrieden-sein, Dankbar-sein. Der wissenschaftlich-technische Imperativ mutet halbiertes Lebenswissen zu. Deshalb braucht es mehr denn je eine "Spiritualität des siebten Tages".

---

[13] Vgl. Höhn, Joachim, "Zeitdiagnose": Religion und gesellschaftliche Modernisierungsprozesse, in: Neue Religiosität fasziniert und verwirrt, Budapest-Würzburg 2001, 46-60, 49ff.

[14] Weizsäcker, Viktor von, Pathosophie, Göttingen 1956.

d) Kein Wunder, dass mit dem Unbehagen in der Moderne das Desiderat einer mythisch-religiösen, z. T. gegenrationalen Welterklärung zunimmt, trotz oder gerade wegen des proklamierten Endes der Metaerzählungen. Die Moderne präsentiert sich hoffnungsarm und orientierungsunsicher. Sie hat Deutungsbedarf angesichts der Gleichzeitigkeit und Ambivalenz von Fortschrittsglauben und religiöser Sehnsucht.

4. Pluralisierung

Von Enklaven abgesehen ist in den Ländern Europas das Ende des kulturgestützten Christentums und entsprechender geschlossener Milieus gekommen. Damit hat sich auch die Position der Kirche in der modernen, arbeitsteilig differenzierten Gesellschaft eklatant verschoben. Sie hat ihre weltanschaulich dominante Monopol- und Zentralposition unwiederbringlich verloren und ist zu einem Teilsystem geworden, zuständig für Religiöses, Heiliges, Transzendentes, Sinn, Werte, Soziales. Die Systeme der Wirtschaft, Wissenschaft, Technik, Medien, Politik, Kultur, Freizeit organisieren sich nach eigener Logik und Ethik. Christliches Lebenswissen, plural relativiert, wird allenfalls selektiv in die anderen Teilsysteme einbezogen. Der modernisierten Gesellschaft fehlt somit das weltanschauliche Steuerungszentrum, die inspirierende Mitte, denn das tonangebende System der Wirtschaft mit seiner Philosophie des Habens und der kommerziellen Verrechenbarkeit geht an den humanen Belangen vorbei.
In dieser pluralen, in Teilsysteme differenzierten Gesellschaft wird der Einzelne mit disparaten Lebensentwürfen und –stilen, Werthaltungen und Handlungsmustern konfrontiert. Er gehört widersprüchlichen Plausibilitätswelten mit je spezifischer Logik und Ethik gleichzeitig an, wenn auch nur partiell und temporär. Der Optionsrahmen wird zur Qual der Wahl, Auswählen und Entscheiden zur Daueraufgabe, oft genug zur Überforderung. Das Dach der Traditionen, Konventionen und konsistenten Biographiemuster über der Seele ist löchrig geworden.

5. Individualisierung

Individualisierung meint nicht Egoismus, sondern zunächst die soziologische Beschreibungskategorie, dass die früher institutionell vermittelten Lebensmuster vom Einzelnen nun aus einer Vielzahl von Optionen ausgewählt werden können oder auch müssen. Ulrich Beck hat die Eigenart der Individualisierung so beschrieben: "In erweiterten Optionsspielräumen und Entscheidungszwängen wächst der individuell abzuarbeitende Handlungsbedarf, es werden Abstimmungs-, Koordinations- und Integrationsleistungen nötig. Die Individuen müssen, um nicht zu scheitern, langfristig planen und den Umständen sich anpassen können, müssen organisieren und improvisieren, Ziele entwerfen, Hindernisse erkennen, Niederlagen einstekken und neue Anfänge versuchen. Sie brauchen Initiative, Zähigkeit, Flexibilität und Frustrationstoleranz. Chancen, Gefahren, Unsicherheiten der Biographie, die früher im Familienverbund, in der dörflichen Gemeinschaft, im Rückgriff auf ständische Regeln oder soziale Klassen definiert waren, müssen nun von den einzelnen selbst wahrgenommen, interpretiert, entschieden und bearbeitet werden. Die Folgen – Chancen wie Lasten – verlagern sich auf die Individuen, wobei diese freilich, angesichts der hohen Komplexität der gesellschaftlichen Zusammenhänge, vielfach kaum in der Lage sind, die notwendig werdenden Entscheidungen fundiert zu treffen, in Abwägung von Interesse, Moral und Folgen."[15]

Individualisierung bedeutet somit Lockerung der Ligaturen zwischen Person und Institution, zwischen Individuum und Gemeinschaft. Das individualisierte, "bindungsarme" Subjekt wird zum "Moralsurfer", der den Selbstverwirklichungswerten den Vorrang vor den Pflichtwerten einräumt. Die eigene Persönlichkeit und Lebensgeschichte avancieren zur permanenten Baustelle der Selbstgestaltung aus eigener Kraft. Man fühlt sich gefordert, im Sog der Moden und Trends ein ganz per-

[15] Beck, Ulrich/Beck-Gernsheim, Elisabeth, Individualisierung in modernen Gesellschaften, in: Dies. (Hg.), Riskante Freiheiten, 10-39, 14f.

sönliches Identitäts-Design, eine ganz individuelle Lebensästhetisierung zu verwirklichen.

6. Religiöser Gestaltwandel

Individualisierung geht mit einem tiefgreifenden religiösen Gestaltwandel einher. Die religiöse Zuständigkeit ist in Europa von der Institution Kirche auf den Einzelnen übergegangen. Damit hat auch eine katholische Identität ein Ende gefunden, wo die Glaubensverantwortung vom Einzelnen an die Hierarchie delegiert werden konnte. Die religiösen Subjekte basteln sich ihre religiöse Welt selbst aus unterschiedlichen Versatzstücken zusammen: Aus der Esoterik-Szene, der Werbung, den Medien, der Selbsterfahrungsgruppe, den Religionen. Erlebnisreligiosität ist angesagt.

Auch die Bindung an eine Gemeinde ist vom Individualisierungssog erfaßt. In einer Zeit, in der Menschen sich in disparaten Teilsystemen bewegen müssen, wo Wandel und Mobilität abverlangt sind, sich Biographien patchworkartig aus unterschiedlichen Erfahrungsstücken zusammenfügen und wo die Suche nach der eigenen guten Gestalt zur lebenslangen Aufgabe geworden ist, kann nicht mehr erwartet werden, dass die Beziehung zur Gemeinde und zum Christsein ungebrochen stabil verläuft. Die frei gewählte Form von Teilnahme, von stiller Sympathie bis aktivem Engagement, von Distanz bis verbindlicher Nähe, also graduelle Partizipation ist an der Tagesordnung.

Im religiösen Gestaltwandel sind vor allem aber auch religionsproduktive Kräfte zu orten. Die Sehnsucht nach einem tragfähigen Lebenssinn, nach überdauernder Sicherheit, nach Innenorientierung, nach Gemeinschaft, biographienahen Übergangs-Symbolen und -festen mitten im deformierenden Alltag. Die zentralen Lebensfragen sind mit der Individualisierung von Religiosität nicht verschwunden. Nur: Wie können Kirche und christlicher Glaube hier (wieder) anschlussfähig werden? Sie stehen vor der Aufgabe, den stressgeplagten

Menschen glaubwürdig mitzuteilen, dass der Mensch nicht sich selbst erschaffen muß, er nicht vollkommen zu sein braucht, es ihn als Fragment geben darf und er dadurch nicht seine Liebenswürdigkeit verliert.

7. Transformationsstress

Was heißt nun vor dem Hintergrund der skizzierten Megatrends "Transformationsstress"?

Es handelt sich dabei um ein Reaktionsmuster der ganz konkreten Person, nicht einer Gesellschaft, Institution oder Nation. Konkrete Menschen sind es, die leiden, sich sorgen, ängstigen, sich abmühen, scheitern, suchen, neu anfangen und hoffen.

Transformationsstress ist ein Sammelbegriff für individuelle psychische Belastungssymptome, die mit den skizzierten Megatrends in Zusammenhang stehen:

- Verlust der Kontrollüberzeugung
- Ohnmachtsgefühle
- Verunsicherung (wirtschaftlich, existentiell)
- Schuldgefühle
- Selbstwert-Minderung
- Verlust konsistenter Wertorientierung
- Bewußtseinsverengung auf ökonomische Kategorien
- Alltagshektik
- Innovations- und Mobilitätszwang
- Auswahl- und Entscheidungsstreß
- Selbstverwirklichungsstress
- Sinn-Suche

Solche Belastungsmuster erwachsen in der Regel nicht unmittelbar aus den Megatrends, sondern aus ihrer kognitiv-emotionalen Rezeption durch die einzelne Person. Von dieser kognitiven Streßtheorie läßt sich aber keineswegs eine eindimensional nach innen, auf Bewußtseinswandel allein gerichtete Streßbewältigung ableiten. Persönliches Streßmanage-

ment genügt nicht. Es braucht die institutionelle, kulturelle, gesellschaftliche und politische Anstrengung, die in den Megatrends wirkenden latenten, sich zu subjektiven Belastungen auswachsenden Stressoren zu mindern und zu verhindern.
Allerdings kann aus dem Phänomen des Transformationsstresses keine generelle Absage an Entwicklung, Aufbruch und Wandlung abgeleitet werden. Streß hat bekanntlich nicht nur eine belastende Seite. Er mobilisiert Kräfte, macht handlungsaktiver, wacher, entschlossener, erschließt schlummernde Ressourcen, treibt voran. Er wird dann zum Problem, wenn er als Dauerzustand auftritt und die Übermacht der strukturellen wie subjektiven Streßauslöser nicht angegangen wird.[16]

8. Inspiration

"Die Kirche leistet für das künftige Europa das Beste, wenn sie ihrem Auftrag treu bleibt und das tut, was ihre ureigene Aufgabe ist", so Kardinal Lehmann.[17] Aber worin besteht diese "ureigene Aufgabe"? Im "synestiein" – Miteinander-essen, wie Franz Mußner[18] beispielsweise plädiert? In der "Evangelisierung", wie es die in diesem Leitwort nicht immer eindeutige kirchliche Programmatik nahelegt?[19] Im "Primat der Diakonie"[20], in einer "Sozialpastoral",[21] wie es neuere pastoraltheologische Entwürfe formulieren?
Epochale Herausforderungen spielen der Theologie und Kirche die Chance zu, sich neu auf ihre Wurzeln zu besinnen und von daher ihre "ureigene Aufgabe" im Kontext von heute zu entwik-

[16] Vgl. Antonovsky, Aaron, Unraveling the mystery of health. How people manage stress and stay well, San Francisco 1987.
[17] Lehmann, Karl, Europa im 21. Jahrhundert, in: Ost-West. Europäische Perspektiven 1 (2000, 1) 52-59, 56.
[18] Mußner, Franz, Der Galaterbrief, Freiburg i. Br. 1974, 423.
[19] Paul VI, Evangelii nuntiandi – Über die Evangelisierung in der Welt von heute, Apostolisches Schreiben v. 8.12 1975.
[20] Haslinger, Herbert, Diakonie zwischen Mensch, Kirche und Gesellschaft, Würzburg 1996.
[21] Vgl. Steinkamp, Herrmann, Sozialpastoral, Freiburg i. Br. 1991.

keln. Wenn man sich auf neutestamentliches Terrain begibt, dann lautet der Auftrag, sich der Reich-Gottes-Spiritualität und – Praxis Jesu anzuschließen. Mt 4,23 bringt sie, wie ähnlich lautende summarische Verdichtungsformeln bei den Synoptikern, auf den Punkt: "Er zog in ganz Galiläa umher, lehrte in den Synagogen, verkündete das Evangelium vom Reich und heilte alle Krankheiten und Leiden." Gleiches findet sich, bis in den Wortlaut hinein, bei der Aussendung der Jünger: "Und er sandte sie aus mit dem Auftrag, das Reich Gott es zu verkünden und zu heilen" (Lk 9,2). Die Kirche hat diese Sendung aller Christen in den vier Praxisdimensionen Martyria, Diakonia, Leiturgia, Koinonia bis zum heutigen Tag zu kultivieren versucht. Es geht in ihrer Aufgabe folglich darum:

- Leben zu deuten und Orientierung zu geben in den Koordinaten des Reiches Gottes und damit "den Himmel offen zu halten" (Verkündigung),[22]
- Heilend-befreiende Zeichen der Barmherzigkeit und Gerechtigkeit angesichts von Leid und struktureller Gewalt bei den Modernisierungsopfern zu setzen (Diakonie),
- Gott und den Menschen in den religiösen und liturgischen Symbolhandlungen, in einer rituellen Diakonie nahe zu sein (Liturgie),
- Über Verschiedenheit von Status, Bildung, Alter, Hautfarbe hinweg Gemeinschaft zu versuchen, Gastfreundschaft anzubieten, zum "runden Tisch" zu laden (Gemeinde).

Diese Mimesis Jesu läßt sich nicht im kopierenden Tun seiner Praxis realisieren, im Griechischen steht hierfür "prattein", sondern in einem schöpferischen, kontextbezogenen Akt, der biblisch als "poiein" bezeichnet wird..[23]

Ich werde im Folgenden angesichts des diagnostizierten Sinn-Bedarfs auf die inspirierende Aufgabe des "Orientierung-geben" und angesichts der vielen Modernisierungsopfer auf "Diakonisch-helfen" kurz eingehen.

---

[22] Baumgartner, Isidor/Friesl, Christian/Mathé-Tóth, András (Hg.), Den Himmel offen halten. Ein Plädoyer für Kirchenentwicklung in Europa, Innsbruck-Wien 2000.

[23] Vgl. Fürst, Walter, Pastoralästhetik, Bad Honnef 2000 (Manuskript).

9. Orientierung geben!

Dies ist zweifellos eine Domäne der Kirchen. Dabei wird heute immer mehr bewußt, dass die "Wahrheit" der Botschaft sich nicht über die Vermittlung von Katechismuswissen, also "informativ", sondern in kommunikativen Handlungen, "performativ" erschließt. Mit Max Frisch gesprochen, gilt auch für die Glaubensvermittlung: "Halte dem Andern die Wahrheit hin wie einen Mantel, in den er hineinschlüpfen kann, und schlag sie ihm nicht wie einen nassen Lappen um die Ohren!"[24]

Orientierung geben kann nur, wer sich in Zeitgenossenschaft begibt. Von Jesus selbst heißt es, dass er sein Heimatdorf Nazareth verließ und sich in die Handelsmetropole Kafarnaum begab, mitten hinein in die offenen widersprüchlichen Verhältnisse, empathisch und kritisch zugleich. Das Zweite Vatikanum hat den Ort der Christen in der Welt von heute in "Gaudium et spes" an der Seite der Menschen, mit der Menschheit in einem Boot, bestimmt. Es gibt kein Christentum an der jeweiligen soziokulturellen Situation vorbei, jenseits des zeitgenössischen Kontextes, abseits und geschützt im Ghetto der unschuldigen Selbstbewahrung.

Zum Ghetto kann auch eine vertraut gewordene Kirchengestalt werden, die der Illusion anhängt, die alten christentümlichen, vormodernen Verhältnisse wiederherstellen zu können, mit der Kirche in der inspirierenden Zentral- und Monopolposition eines geschlossenen katholischen Milieus, mit ungebrochener Kirchlichkeit, Priesterfixierung und vollen Kirchen etc. Hier ist Trauerarbeit angesagt, Abschied und Exodus mit der Chance, noch mehr Kirche für die Menschen von heute zu werden.

Orientierung geben kann nur, wer glaubwürdig ist. Solches Zutrauen stellt sich dann ein, wenn eine Person und eine Institution verläßlich zum Ausdruck bringen und dafür einstehen, dass es ihnen nicht um Eigeninteressen geht, sondern sie sich zum uneigennützigen Anwalt der Anderen machen. Wenn

---

[24] Frisch, Max, zit. N. B. Sill, "Sinn für die mögliche Wirklichkeit" (R. Musil), in: Zerfaß, Rolf (Hg.), Erzählter Glaube – erzählende Kirche, Freiburg-Basel-Wien 1988, 142-158, 157.

Geistliche in Deutschland im Image der Berufe einen Spitzenplatz einnehmen,[25] wenn der Deutsche Caritasverband an vorderer Stelle der wichtigsten Institutionen steht (im Gegensatz zur nachrangigen Position der Kirche insgesamt), [26] dann ist es dem von Eigeninteressen freien Engagement zu verdanken. In einer Gesellschaft, wo das Profitstreben an erster Stelle rangiert, das Vertrauen in Institutionen beschädigt ist, wird diese transparente, kongruente Selbstlosigkeit der Kirchen zum Prüfstein ihrer gesellschaftlichen Autorität.

Und wo bleibt die Botschaft? Mehr denn je zählt heute die Tatsprache des Glaubens, durch empathisch-kritische Zeitgenossenschaft, durch engagierte Parteilichkeit für den Anderen, durch Gastfreundschaft. Die Inhalte der christlichen Botschaft katechismusartig zu vermitteln, gelingt in individualisierten Zeiten immer weniger. Man wird noch mehr lernen müssen, dass Orientierung-geben vielschichtiges Beziehungsgeschehen auf symmetrischer Basis ist. Auch hier ist Metanoia angesagt.

Zur "ureigenen Aufgabe" der Christen gehört nach der zitierten Lk-Perikope 9,2, "das Reich Gottes zu verkünden". Also den Himmel offen zu halten in einer Welt der rationalen Entzauberung, der Kolonialisierung des Bewußtseins durch Shareholder-Value, der Selbstästhetisierung aus eigener Kraft. Die Kunst der einfühlsamen Mystagogie, des empfindsamen Mitgehens in den Suchbewegungen des Anderen ist gefragt. Dies gelingt, wenn ich die Freiheit des Anderen respektiere, wenn ich ihm, mit Rainer Kunze gesprochen, ein "Pfarrhaus" anbiete, das sich jede vereinnahmende Verkirchlichung versagt: "Wer da bedrängt ist, findet Mauern, ein Dach, und muß nicht beten!"[27] Er findet ein "Obdach für die Seele", einen Suchraum, wo er, mit eines anderen Dichters, - Rainer Maria Rilkes -Lebensweisung gesprochen, eine Existenzform lernt,

---

[25] Vgl. Institut für Demoskopie Allensbach, So hoch ist das Ansehen. Stand Mitte 2001.

[26] Köcher, Renate, Meinungsbild Caritas. Die Allensbacher Studien zum Leitbildprozeß. Ergebnisse Bd. 1, hg. vom Deutschen Caritasverband, Freiburg i. Breisgau 1997, 20f.

[27] Kunze, Rainer, Das weiße Gedicht, Frankfurt a. M. 1989, 114.

die vielleicht in der Postmoderne die ehrlichste, wahrhaftigste ist: "Leben Sie jetzt die Fragen, vielleicht leben Sie sich eines Tages in die Antwort hinein!"[28]

Und die Antwort, in die man sich in einem freiheitlichen Suchraum hineinleben kann, weist wenige Schlüsselsätze auf:

- Subjektsein-dürfen unter den Augen Gottes ("Ich habe dich beim Namen gerufen" (Jes 43,1)
- In verdankter Existenz! (Er kommt unsern Tun mit seiner Gnade zuvor! Niemand muß sich selbst aus eigener Kraft verwirklichen um liebenswürdig zu sein!)
- Mit der Erlaubnis zum Fragment! (Freisein vom postmodernen "Ganzheitszwang"! "... der bei euch das gute Werk begonnen hat, es auch vollenden wird..."; Phil 1,6)
- Mit anderen zusammen! Am Du zum Ich werden! (M. Buber)
- Für andere! Wer hilft, wird mehr Mensch!
- Unter offenem Himmel! Die Zeichen der Hoffnung für ein Leben nach dem (Gegen-) Entwurf Gottes lesen lernen!

Woher sollten tragfähige Inspiration und Orientierung für die Menschen in Europa kommen, wenn nicht aus den spirituellen Quellen einer zweitausendjährigen Christentumsgeschichte?

10. Diakonisch helfen!

Die Überzeugungskraft des Christentums war gerade in den Anfangs- und Übergangszeiten nicht den prachtvollen Gottesdiensten, den geschliffenen Predigten und der tiefschürfenden Theologie zu verdanken, sondern der selbstlosen Mitmenschlichkeit, der Diakonie.

1. Eine syrische Kirchenordnung aus dem 5. Jahrhundert[29] entwickelt ein Leitbild einer diakonischen Gemeinde, das auch heute nichts von seiner Aussagekraft eingebüßt hat:

---

[28] Rilke, Rainer Maria, Briefe an einen jungen Dichter (Leipzig 1929), Frankfurt a. M. 2000, 21.

- "Gleich bei der Kirche soll ein Hospiz sein, wo der Diakon die Fremden empfängt." Ohne Diakonie keine Liturgie und Verkündigung, die wahr von Gott reden könnte! "Wenn in Rom ein Mensch Hungers stirbt, ist der Papst nicht würdig, die Messe zu feiern," so sagt es Gregor der Große[30]. Darüber hinaus: Diakonie braucht ein Haus, soll sie nicht zufällig bleiben. Sie ist gastfreundlich offen für jedermann, zuerst für die Fremden und Suchenden.
- "Wie es recht und passend ist, geht der Priester zusammen mit dem Diakon in die Häuser der Kranken und besucht sie." Diakonie ist Aufgabe auch des Priesters, ist nicht delegierbar, weil sie das Eigentliche der priesterlichen Seelsorge ist.
- "Der Diakon ist Ratgeber des ganzen Klerus und ist so etwas wie das Sinnbild der ganzen Kirche." Der Klerus braucht diakonisches Coaching!

2. Im Jahre 1540 gründete Johannes Ciudad, der später den Ehrentitel "Johannes von Gott" erhalten sollte, in Granada ein Spital mit 42 Betten.[31] Niederschmetternde Erfahrungen als Patient in einer damaligen Irrenanstalt hatten ihn diesen Entschluß fassen lassen. Einher ging er mit einem dramatischen Bekehrungsweg vom Abenteurer, Soldaten, Geschäftsmann zur Berufung der Barmherzigkeit. Den Unterhalt für die Kranken erwarb er durch eigener Hände Arbeit und durch Almosen, die er in den Abendstunden zusammenbettelte. Für die Pflege der Kranken fand er Gefährten, die er mit einer eigenen Regel im gleichen Geist zu inspirieren suchte. Vor allem kam es ihm auf menschenwürdige Pflegehäuser an, die schließlich weit

---

[29] Zitiert nach: Zerfaß, Rolf, Wenn Gott aufscheint in unseren Taten, in: Zulehner, Paul M., Das Gottesgesicht. Baustein für eine Kirche der Zukunft, Düsseldorf 1987, 95-106.

[30] Zitiert nach: Fürst, Walter, Europa als Herausforderung für das Selbstverständnis der Kirchen, in: Fürst, Walter/Honecker, Martin (Hg.), Christenheit – Europa 2000, Baden-Baden 2001, 69-79, 70.

[31] Vgl. Zerfaß, Rolf, Caritasorganisation und evangelischer Auftrag, in: Caritasverband der Erzdiözese München und Freising e. V., Non-Profit-Organisation im Aufbruch, München 1995, 43-54, 45; Melchers, Erna/Melchers, Hans, Das große Buch der Heiligen, München 1978, 149-151.

über die damaligen Anstalten, wo Kranke und Verstörte elend litten und sich selbst überlassen blieben, hinausragten. Johannes von Gott stellte beinharte Grundsätze auf: Jeder Kranke wird aufgenommen, unabhängig, ob Moslem, Jude oder Christ! Jedem Kranken ein eigenes Bett! Jedem ein warmes Bad! Tägliche Visite, wobei den Arzt der Koch zu begleiten hat! Die gütige Aussprache mit dem Patienten ist ebenso wichtig wie die körperliche Pflege! Erinnerung an die überlieferte Botschaft und Berührtsein vom zeitgenössischen Kontext des Leidens flossen in seiner Gründungsspiritualität zusammen, ließen ihn modellhafte Pflegekonzepte entwickeln. Eine Caritas, die die andernorts stattfindende, lieblose Praxis verdoppelt, ist überflüssig!

3. Die Legende vom Hl. Martin v. Tours darf nicht fehlen, wenn aus der Geschichte der Diakonie für heute gelernt werden soll.[32] Die Ikonografie dieser Legende macht einen Angelpunkt der Caritas heute deutlich: Die symmetrische Beziehungsstruktur zwischen Helfer und Hilfsbedürftigen. Caritas ist Partner und Anwalt der Hilfesuchenden!"[33] Eine der ersten Darstellungen, um 975 in Fulda entstanden, zeigt einen Martin der dem Bettler von Angesicht zu Angesicht begegnet, auf gleicher Augenhöhe. Beide stehen auf gemeinsamem Boden. Weit und breit kein Pferd! Dies ist das ursprüngliche Martinsbild! Auch in der Vita St. Martini des Sulpicius Severus kommt – überraschenderweise – kein Pferd vor. In den zwischen 1100 und 1150 entstandenen Martinsbildern in Zillis (Graubünden) ist bereits ein Pferd zu erkennen, aber Martin ist abgesessen und steht dem Bettler gegenüber. In den Fresken der Martinuskapelle in der Unterkirche von St. Francesco zu Assisi (um 1333) präsentiert sich Martin mit einem Mal auf dem Pferd, der Bettler aber steht immer noch in voller Größe aufrecht da, ohne Unterwürfigkeit. Von nun an allerdings taucht in den Bildern immer stärker der Martin hoch zu Roß auf, der sich zum Armen herabläßt, ohne Anstalten zu ma-

---

[32] Vgl. Fürst, Walter, Europa als Herausforderung.

[33] Vgl. Deutscher Caritasverband e. V. (Hg.), Leitbild des Deutschen Caritasverbandes, Freiburg 1997, 7.

chen, von seinem hohen Roß herunterzusteigen. Nur eine Caritas auf Augenhöhe, die dem Armen ins Gesicht schaut, hat das Evangelium auf ihrer Seite! Es gilt Caritas so zu organisieren, dass sie nicht demütigt, sondern die Ressourcen der Hilfesuchenden respektiert.

11. Inspiration für Europa – mit Herz, Hand und Fuß

Leben deuten, Orientierung Geben, sodann Helfen, Barmherzigkeit und Gerechtigkeit – dies sind die wesentlichen "ureigenen" Aufgaben der Kirche angesichts des verbreiteten Transformationsstresses in Europa. Nur auf diese Weise bekommt eine christliche Inspiration Herz, Hand und Fuß.

Ungarns Situation im Spiegel der Ereignisse des Jahres 2001

von Ferenc Beran

Im vergangenen Jahr gab es in Ungarn zwei Ereignisse, die die Aufmerksamkeit der ganzen ungarischen Gesellschaft erweckten und auch aus sozialethischem Aspekt von wichtiger Bedeutung sind. In meinem Referat möchte ich über diese Ereignisse berichten. Das erste Ereignis war die Volkszählung, wodurch bekannt wurde, wie viele Prozent der Ungarn sich für Christen erklärten. Das zweite Ereignis war die Einführung des "Statusgesetzes", wonach Begünstigungen für die ungarischen Minderheiten außerhalb der Landesgrenzen gewahrt werden, die ihnen ermöglichen, leichter Arbeit im Mutterland zu bekommen. So kann ihre finanzielle Lage verbessert werden und ihre Beziehungen zu Ungarn werden auch gestärkt. Im Folgenden möchte ich die zwei Ereignisse kurz darstellen.

1. Die Zahl der Christen nach der Volkszählung

Im Februar 2001 wurde eine Volkszählung in Ungarn durchgeführt. Ein wichtiges Merkmal war dabei, dass den Bürgern die Frage gestellt wurde, welcher Kirche sie angehören, mit anderen Worten, zu welcher Konfession sie sich bekennen. Die Frage nach der religiösen Zugehörigkeit war deswegen wichtig, weil in den vergangenen 50 Jahren nie danach gefragt wurde. So konnte man nicht genau wissen, wie viele Gläubige in Ungarn sind und was für eine Wirkung das Christentum auf die ungarische Gesellschaft hat. Viele waren überzeugt, dass die religiöse Zugehörigkeit stark zurückfiel: Damit verlor das Christentum seine frühere bedeutsame Rolle und Auswirkung. Grund dieser Annahme war die Tatsache, dass die Zahl der Religionsausübung, das heißt die Zahl des Kirchenbesuches in den letzten Jahren wirklich zurückfiel. Die Volkszählung bestätigte aber diese Annahme nicht. Aus der Volkszählung ging hervor, dass fast drei Viertel (genau 71%) der Landeseinwohner sich mit einer der Großkirchen verbunden fühlt, und Zeugnis über den Glauben gibt.

Die wichtigsten Ergebnisse der Volkszählung werden in der folgenden Tabelle zusammengefasst:

Gesamt-einwohner-zahl	katholisch	reformiert	evange-lisch	andere	keine	die Frage
				Konfes-sion	kirchliche	nicht
					Zugehörigkeit	beantwortet
10.195.513	5.300.565	1.631.410	301.925	395.723	1.445.646	1.035.091
100%	51,90%	16%	2,96%	3,80%	14,10%	10,10%
100%		71%			14%	

Was für Schlussfolgerungen lassen sich von diesen Angaben ableiten:

- In Ungarn ist das Christentum tief verwurzelt. Der fünfzig Jahre lange Atheismus und der zehn Jahre lange Liberalismus konnten die religiösen Wurzeln aus den Menschen nicht ausmerzen.
- Ihre Religion nicht ausübende Christen legen Zeugnis über ihren Glauben ab. Das heißt, nicht nur diejenigen bekennen ihren Glauben, die jeden Sonntag in die Kirche gehen, sondern auch diejenigen, die die seelischen und geistlichen Werte des Christentums erkannt haben. Es kommt auch vor, dass diese Menschen mit großem Auffallen ihre Solidarität mit der Kirche ausdrücken, und die Kirche um Hilfe bitten.

Mit zwei Beispielen möchte ich das belegen. In der kommunistischen Zeit nahmen auch solche an Prozessionen teil, die nur selten in die Kirche gingen. Mit der Teilnahme an der Prozession wollten sie der Welt zeigen, sie sind Christen. Das konnte in der damaligen Zeit große Schwierigkeiten auslösen.

Das andere Beispiel nehme ich aus der heutigen Zeit. Ich unterrichte in einem Gymnasium, wohin auch solche Eltern ihre Kinder schicken, die selbst die Religion nicht praktizieren. Sie haben Anspruch darauf, dass ihr Kind die Werte des Christentums kennenlernt. Oft bieten sie der Kirche die 1% Personaleinkommensteuer an.

Diese Beispiele zeigen, dass die Situation der Kirche nur an praktizierenden Gläubigen nicht zu beurteilen ist. Der große Unterschied der zwischen den Praktizierenden und nicht Praktizierenden besteht, mahnt die Führenden der Kirche, die Priester und die engagierten Christen, in der Kirche eine wahre Gemeinschaft zu gestalten, damit sich die nicht praktizierenden Menschen darin auch wohl fühlen.

2. Das Statusgesetz - Begünstigungen für die ungarische Minderheit außerhalb der Staatsgrenzen

Aus der Geschichte ist es uns allen bekannt, dass Ungarn nach dem ersten Weltkrieg infolge der Trianon-Entscheidung (4. Juni 1920), den größten Teil seines Territoriums verlor. In den vergangenen 50 Jahren konnte Ungarn der ungarischen Minderheit keine geistliche und materielle Hilfe in den benachbarten Ländern anbieten. Die wirtschaftlichen Ergebnisse der letzten Jahre (GDP 2001 4,6%) und das verhältnismäßig niedrige Arbeitslosenniveau (2001 6%) ermöglichten, dass der Ungarische Staat ihnen Hilfe in Form von Begünstigungen und Unterstützung anbietet. In der Folgen zähle ich einige wichtige Formen auf:

Im Bereich Bildung und Kultur: für die ungarischen Jugendlichen *Studium: an ungarischen Hochschulen und Universitäten* und wissenschaftliches (PhD) Postgraduatestudium

- für Pädagogen der ungarischen Minderheit *Unterstützung der Weiterbildungen* in Ungarn
- die *Unterstützung der im Ausland ungarisch Lernenden* mit Lehrbüchern und Unterrichtsmaterial

• *kostenloses Reisen* für die ungarische Minderheit in Ungarn unter 6 Jahre und über 65 Jahre.

Im Bereich Arbeitnahme:

• Ermöglichung einer Arbeitserlaubnis für drei Monate. Die Zahl der Arbeitnehmer wird vom ungarischen Staat bestimmt. Als Grundsatzregel gilt, dass die Zahl der Arbeitsbewilligungen die Zahl der registrierten Lehrstellen nicht übersteigen darf. Momentan gibt es 81.000 Lehrstellen in Ungarn. So ist es nicht zu befürchten, dass wegen der Arbeitsbewilligungen die Arbeitslosigkeit ansteigen wird. Es ist wichtig anzumerken, dass die ausländischen Arbeitnehmer bei der Einstellung die gleichen Chancen haben, wie die Mitglieder der ungarischen Minderheit.

Was für Auswirkungen haben die Begünstigungen und die Unterstützung?

• Die Stärkung der Einheit der ungarischen Nation. Es ist aber Vorsicht geboten, damit mit dem gesunden Nationalbewusstsein der Nationalismus nicht gestärkt wird.

• Ungarn trägt durch die Hilfe an die ungarischen Minderheit in den benachbarten Ländern zum Wachstum der benachbarten Ländern bei, da die ungarische Minderheit dort lebt.

• Möglichkeiten der Stärkung der zwischenstaatlichen kulturellen Beziehungen.

• Abschließend, aber nicht zuletzt, kann das Statusgesetz die Integration Europas fördern.

Grenzlandproblematik allgemein und Integrationsproblematik Das Burgenland nach dem Fall des "Eisernen Vorhangs" 1989

von Christian Vurglics

Einleitung

Wesentliche und wichtige Integrationsfaktoren, wie "Probleme der Volksgruppen", "Sprachinseln", "Migrationspoblematik an der EU-Außengrenze", "Nachhaltigkeit eines Integrationsprozesses", etc. müssen wegen der Kürze des Artikels ausgelassen werden. Sozialethische und soziologische Ansätze und Lösungsmöglichkeiten sollen im Vordergrund stehen. Ich werde auch auf die Kirchliche Soziallehre eingehen. Die Integrationspolitik wird hauptsächlich unter dem Blickwinkel des mittleren- bzw. südlichen Burgenlands gesehen.

1. Leben im Grenzland

Man weiß heute genau, dass sich trotz verschiedener Förderungsmaßnahmen die Situation der strukturschwachen im Vergleich zu strukturstarken Gebieten (Ballungsräume, Zentralräume, Gebiete regionaler Standortattraktivität) laufend verschlechtert.
Hauptprobleme sind: wenig Arbeitsplätze, daher viel Abwanderung, weite Pendler- strecken, geringes Einkommen, verschuldete Gemeinden, Existenzkampf der kleineren und mittleren Unternehmen.
Einige Ursachen für diese Situation und weitere Entwicklungshindernisse sollen noch kurz aufgezeigt werden.

1.1. Wirtschaftliche Situation

Strukturschwache Gebiete, wie z.B. in der Ostregion Österreichs, also im Burgenland, insbesondere im Mittel- und Südburgenland, haben weiters mit einer Reihe natürlicher Benachteiligungen, wie Entfernung von Markträumen, Entfernung zu Flughäfen, geringe "Dienstleistungsgesinnung"[34] (besonders Südburgenland), große Transportkosten, höhere Produktionskosten etc. zu kämpfen.

Dazu kommt, dass es durch bestehende wirtschaftliche, politische und infrastrukturelle Gegebenheiten einen Umverteilungsprozess von den Peripherien in die Zentren gibt.

Weitere negative Erscheinungen sind: Die profitreichere Verarbeitung von Rohprodukten erfolgt vorwiegend in den strukturstarken Ballungsräumen, strukturschwache Gebiete liefern billige Arbeitskräfte und müssen teure Fertigwaren kaufen.

Weit mehr an Förderungsmitteln, als der prozentuelle Anteil der Mittel für außerschulische Bildungsarbeit erfordern würde, fließt in strukturstarke Räume.

Dadurch wird auch erklärbar, warum die Situation in Grenzgebieten bei geringen innovativen Anstrengungen ständig schlechter werden könnte. Zu schweigen sei auch über getrübte nachbarschaftliche Beziehungen z. B. im Grenzgebiet zwischen Österreich und Tschechien, die sich kurzfristig negativ auf die Grenzregionen auswirken.

Die im Burgenland teils desolate Verkehrsinfrastruktur, besonders in der Mittel- und Südregion verhindert Anschlußmöglichkeiten an das hochrangige Verkehrsnetz Ungarn – Italien – Graz.

Als "Ziel 1-Gebiet", von der EU eingestuft (1995-1999), wurde für diese Ostregion zwar ein vordergründig erfolgreicher Strukturwandel eingeleitet, "es existiert aber noch ein großer Nachholbedarf an weiteren strukturellen aber auch mentalen Veränderungen, um das Burgenland (ehem. Westungarn) zu

---

[34] Einheitliches Programmplanungsdokument (EPPD). Version: EK-Genehmigung – 04.Mai 2001, CCI 1999. AT.16.1.DO.001, S. 38.

einer hochwertigen Standortzone zu entwickeln und damit die regionale Wirtschaftskraft an das Österreichniveau heranzuführen."[35] Das burgenländische BIP von 75% des EU-Durchschnitts wurde bis 1999 nicht erreicht, so dass eine weitere "Ziel 1"- Periode bis 2006 angesetzt wurde.

1.2. Bevölkerungsmäßige Situation

Die Bevölkerung im Grenzlandgebiet erlebt die harte Realität Tag für Tag. Ein Großteil davon ist aber nicht in der Lage, Ursachen und größere Zusammenhänge zu erkennen. Sie ist daher auch viel zu wenig an der Suche nach Lösungen beteiligt. Diese Bevölkerungsschichten machten vielfach eine Zeit der Unterdrückung, der Abhängigkeit und der Bevormundung durch. Es gibt eine große Sprachlosigkeit untereinander, aber besonders nach oben hin, weiters geringes Selbstvertrauen und wenig Initiative.

Menschen sind im hohen Ausmaß von ihren Umweltbedingungen abhängig ebenso ihren "geistigen" Umweltbedingungen. So ist es erklärbar, dass selbst die betroffene Bevölkerung Widersprüche unserer Gesellschaft unkritisch hingenommen hat: Gegenseitiger Wettbewerb anstatt Kooperation, auf eigenen Vorteil bedacht sein anstatt Solidarität, anfällig für sogenannte "Konsumfallen", eher Mißtrauen und individuelle Lösungsversuche anstatt gemeinsames Suchen nach Alternativen, gemeinsam Forderungen durchsetzen.

Unser Bildungssystem stärkt eher die Fähigkeit zum Wettbewerb als zur Solidarität, zur Zusammenarbeit und zu gemeinsamer Innovationsfreudigkeit.

Tatsächlich kann auch von einer "Flucht vor der Grenze", die mit dem Zerfall der Donaumonarchie eingesetzt hat, gesprochen werden. Diese Tendenz hat sich nach der Errichtung des Eisernen Vorhangs noch weiter beschleunigt.[36]

---

[35] Ebd.S. 39.

[36] Vgl. Studie von J. Fidrmuc, P. Huber und A. Wörgötter: Die österreichische Region: zwischen Ostöffnung und Osterweiterung. 1998. Internetadresse: http://www. bmwa.gv.at/positionen/ahjb/pdf/Ja8d3b~1.PDF.

Dies alles führt zur Entleerung der Randgebiete und damit zu zunehmenden Schwierigkeiten, die "Integrationsfähigkeit" einer Region zu heben.[37]
Es kann daher nur ein Ansatz zum Ziel führen, der den Menschen und den Betrieben möglichst auf beiden Seiten der Grenze hilft, Chancen der Integration wahrzunehmen. Positiv in diesem Zusammenhang können die grenzüberschreitenden Schulprojekte sowie Fachhochschul-Studientage für internationale Wirtschaftsbeziehungen in Eisenstadt erwähnt werden.

2. Integrationsproblematik und Integrationspolitik im Grenzland Burgenland

Nach dem "Kleinen Lexikon der Politik", herausgegeben von Dieter Nohlen, bezeichnet Integration "Im allgemeinen Verständnis (lat. *integratio* = Einbeziehung, Unversehrtheit) die Entstehung oder Herstellung einer Einheit oder Ganzheit aus einzelnen Elementen oder die Fähigkeit einer Einheit oder Ganzheit, den Zusammenhalt der einzelnen Elemente auf der Basis gemeinsam geteilter Werte und Normen aufrechtzuerhalten. Integration ist eine empirische Grunderscheinung und analytische Grundkategorie in Wirtschaft, Gesellschaft und Politik."[38]
Aus der Vielfalt verschiedener Erscheinungsformen und Bedeutungsinhalte von Integration interessieren sozialethisch vor allem die soziale Integration. "In (...) gesellschaftspolitischer Perspektive bedeutet soziale Integration die Befriedigung der Bedürfnisses individueller Teilhabe an den materiellen und kulturellen Gütern der Gesellschaft."[39]
Für die politische Ethik in der zwischenstaatlichen Dimension ist Integration als sozialer Begriff im wesenhaft Menschlichen begründet und beruht auf der Grundtatsache, dass der Mensch gemeinschaftsfähig und gemeinschaftsbildend ist,

---

[37] Ebd.
[38] Vgl. Dieter Nohlen, Integration. In: "Kleinen Lexikon der Politik", hrsgg. von Dieter Nohlen. München 2001, S. 208.
[39] Ebd. S. 208.

wobei der politische Integrationsprozess nach Johannes Messner "eine Resultante mannigfaltiger Kräfte und Triebe physischer, geistiger und sittlicher Art" darstellt, der letztlich sein "Richtmaß" vom Menschen nimmt und nicht aus politischer Willkür stammt.[40] Dieser ethische Integrationsbegriff wird auch hier vertreten.

Integration ist nach Rudolf Weiler ein "wertgeladener Vorgang, der vom politischen Willen und von sozialer Gerechtigkeit gesteuert werden muß".[41]

Allgemein lassen sich die Ziele der Integrationsprozesse Österreichs, insbesondere die in den Grenzregionen, mit seinen östlichen Nachbarn dahingehend überprüfen, ob es zu einer weiteren Marginalisierung von Menschengruppen, Berufsgruppen oder ganzer Bevölkerungsschichten beiderseits der Grenzregionen kommt oder nicht. Man bedenke, dass trotz der bemerkenswerten makroökonomischen Wirtschaftsdaten – 3,5% Wachstum trotz Rezension in den letzten Jahren - ist die Einkommensschere in Ungarn enorm hoch: Ein Drittel der Bevölkerung verdient weniger als 200 Euro pro Monat.

2.1. Integrative Chancen im Grenzgebiet

Dass exponentielles wirtschaftliches Wachstum nicht zum allgemeinen Maß für den Erfolg einer echten Integrationspolitik gemacht werden kann, sind sich alle Beteiligten einig. Sets behutsam müssen Verbindungen, Angleichungen und Zusammenarbeit zwischen Österreich und den Reformländern vonstatten gehen. Grenzüberschreitende Zusammenarbeit auf wirtschaftlicher, sozialer und besonders kultureller Ebene sind nötig. Es stellt sich die Frage: Wie kann verhindert werden, dass das Gleichgewicht einer Region nachhaltig gestört wird und wie kann eine gemeinsame grenzüberschreitende Entwicklungs- und Wachstumszone geschaffen werden kann. Traditionell wird die Entwicklung primär am Wachstum des

---

[40] Vgl. Johannes Messner, Das Naturrecht, Berlin [7] 1985, S. 769.

[41] Vgl. Rudolf Weiler, Internationale Ethik. Eine Einführung. Bd.2. Berlin 1989, S.16.

Bruttoinlandprodukts gemessen. Keuschnigg und Kohler (1998) kommen zum Schluß, dass das im Rahmen der Osterweiterung der EU, ein Wohlfahrtseffekt für Österreich von zumindest 0,8% des BIP möglich ist. Optimistischere Berechnungen sprechen von einem Wohlfahrtszuwachs bis zu 2% des BIP für Österreich und somit auch für das Burgenland.[42]

2.2. Integration durch ein "Europa der Regionen"

Das Burgenland hatte auch zu Zeiten des "Eisernen Vorhangs" die Kontakte zu Ungarn nicht abreißen lassen. Gerade durch seine Neutralität und besonders durch die Waldheim-Ära hat sich Österreich wirtschaftlich nach Osten orientiert, ist aber über die 10% Außenhandelsbilanz kaum hinausgekommen. Nach dem Fall des "Eisernen Vorhangs" konnte die Zusammenarbeit aber wesentlich leichter und umfassender fortgeführt werden.

Von 1992 bis 1998 bemühte sich der "grenzüberschreitende Regionalrat" um den weiteren Ausbau der Zusammenarbeit. Diese Bemühungen fanden ihre Fortsetzung in der Gründung der EUREGIO West/Nyugat PANNONIA am 7. Oktober 1998. Neben dem Burgenland gehörten auch die Kommitate Györ-Moson-Sopron und Vas zur EUREGIO.

Anlässlich der Sitzung des Rates der EUREGIO am 21.Juni 1999 wurden das Komitat Zala als neues Mitglied aufgenommen, die Organe der EUREGIO mit Geschäftsordnungen ausgestattet sowie eine Reihe von Projekten vorgestellt.

Das vorrangige Ziel der EUREGIO ist es, die Idee eines vereinten Europas in einem kleineren und somit auch verständlicheren Rahmen zu verwirklichen und den Nachbarn Ungarn und seine Komitate besonders beim geplanten Beitritt zur Europäischen Union zu unterstützen.

Auf Basis dieser EUREGIO sollen in Hinkunft gemeinsame wirtschaftliche, soziale und kulturelle Angelegenheiten sowie

---

[42] Vgl. Keuschnigg, C., und Kohler, W., Eastern Enlargement of the EU: How much is it worth for Austria?, Arbeitspapier Nr. 9723, Universität Linz, 1998.

Fragen der Infrastruktur diskutiert und in konkreten Projekten umgesetzt werden. Vorrangig soll die Entwicklung der Partnerregionen beiderseits der heutigen EU-Außengrenze durch eine intensivierte Zusammenarbeit unterstützt werden.
Außerdem sollen im Rahmen der EUREGIO die Ausarbeitung und Abwicklung grenzüberschreitender Projekte und Programme koordiniert, organisiert und gefördert werden.[43]

Beispiel: Ausbau des Trendbereichs – "Wellness"
Das Burgenland hat eine äußerst gute Startposition, wie sich am Beispiel "Gesundheit" leicht darstellen lässt: Der Trend vom "Kampf gegen die Krankheit" zur "Erhaltung der Gesundheit" bringt ein immer stärker wachsendes Bedürfnis nach "Wellness". Das Bedürfnis nach körperlichem Wohlbefinden, nach innerer Ausgeglichenheit und genussvoller Lebensfreude lässt sich im Burgenland optimal zufrieden stellen: Thermalbäder, die intakte Natur, die hohe Wohnqualität bei gleichzeitiger Nähe zu Einkaufzentren könnten das Südburgenland zum qualitätsvollen Wohnland werden lassen.
Aus heutiger Sicht sind die Chancen auf einen erfolgreichen Weg bei der innovativer Realisierung dieser Pläne gut bis sehr gut, sind aber noch sehr von kreativen und verwegenen Kräften abhängig.[44] Eine Absprache bzw. Planung mit dem Nachbarland wäre nötig.

3. Ziel in den Grenzregionen: Gemeinsame gemeinwohlorientierte Politik beiderseits der Grenze – gemeinsame Regionalpolitik

Nach Johannes Messner stellt Gemeinwohlpolitik eine "Ordnung der Verteilung der materiellen und kulturellen Güter im wirt-

---

[43] Vgl. Georg Schachinger, Burgenland als Ziel1-Gebiet Österreichs. In: Burgenländische Heimatblätter. Hrsgg. vom Amt der Burgenländischen Landesregierung, Landesarchiv. Heft Nr.3+4, Eisenstadt 2001, S.83ff.
[44] Ebd.

schaftlichen und sozialen Bereich "dar[45]. Die Gemeinwohlpolitik meint des Näheren die gerechte Verteilung von Gütern innerhalb einer subsidiären Ordnung. Politik hat daher immer mit Wahrnehmung einer umfassenden Ordnungsaufgabe zu tun.[46]

Bereits in "Pacem in Terris" Nr. 99 wird auf eine gegenseitige Hilfe zwischen Staaten in Betrachtung des gemeinsamen oder gegenseitigen Gemeinwohls hingewiesen. Unter der Überschrift "Tätige Solidarität" heißt es: "Dies bedeutet, dass die einzelnen staatlichen Gemeinschaften in der Wahrung ihrer Interessen einander nicht nur nicht schaden dürfen, sondern auch mit Rat und Tat sich zusammentun sollen, wenn die Anstrengungen der einzelnen Staaten die gewünschten Ziele nicht erreichen können". – und in Verantwortung für das Wohl des anderen Staates in einem fortschreitenden Integrationsprozess heißt es weiter: "In diesem Fall muß man sehr darauf achten, dass die Vorteile, die sich für die einenden Staaten ergeben, den anderen nicht mehr Schaden als Nutzen bringen." (Ebd. Nr. 99)

Damit wird der Weg frei für eine gemeinwohlorientierte Politik auf beiden Seite der Grenzen zwischen Staaten, die bereits in der EU sind, und sogenannte Bewerbern. Die Hoffnung auf einen weitreichenden Wohlstandsausgleich- und Austausch ist ebenso gegeben wie die Chance auf eine intensive kulturelle dialogische Begegnung der in der zukünftigen EU vereinten Nationen. Gemeinsame Wertüberzeugungen können helfen bei der Durchsetzung einer gemeinsamen gemeinwohlorientierten Politik.

Jede Zeit hat ihre "soziale Frage" sagt Johannes Messner in seinem Standardwerk "Die Soziale Frage". Dennoch geht es um eine recht und richtig verstandene Solidarität, um Anstrengungen zur Sicherung der Lebenschancen für Menschen hüben und drüben der Grenze. Die katholische Soziallehre weiß

---

[45] Vgl. Messner J., Das Naturrecht. 7. Aufl. Berlin 1984, S.196.

[46] Vgl. Pribyl H., Gemeinwohlpolitik und katholische Soziallehre. In: Pribyl H. (Hg.): Shareholder-value. Wirtschaftswachstum, Einkommens- und Vermögensverteilung im Lichte christlicher Wirtschaftsethik. Beiträge zur Jahrestagung des Vereins zur Förderung der katholischen Sozialethik in Mittel- und Südosteuropa. Wien-Tarnow 2000, S.151.

aus ihrer sozialrealistischen Haltung heraus um die Kompromisse, die dabei in Kauf zu nehmen sind.[47]

Papst Johannes Paul II. betont dabei die Verantwortung jedes einzelnen, besonders jedes einzelnen Politikers bzw. jedes Akteurs und besonders des Christen, für das Gelingen einer gerechten Integration: "In diesem Sinn sind die *Präsenz und der Einsatz von Christen, Männern und Frauen,* entscheidend, die in das Leben Europas und in seine Einigung die Achtung jeder Person und der verschiedenen menschlichen Gemeinschaften einzubringen wissen, indem sie deren geistige, kulturelle und soziale Dimension anerkennen und so denjenigen neue Hoffnung geben, die sie verloren haben, und die soziale Integration derer begünstigen, die in Europa leben oder ihren Wohnsitz nehmen"[48]

3.1. Konkrete Integrationspolitik

Konkret bedeutet das, dass in den Verhandlungen um die gemeinwohlorientierte Angleichung in den gegebenen Grenzregionen auf der Basis von Rechtsansprüchen arbeits- und sozialrechtliche Normen, neue Lebenschancen zu ermöglichen und zu stabilisieren sind. Besonders die Kammern, Wirtschaftskammern und Arbeiterkammern, sind aufgerufen, Chancen und Risiken abzuwägen und geeignete Maßnahmen zu ergreifen.

D.h.: Integrationsprozess muss sozial verträglich sein – die Sorge um den Arbeitsmarkt muss ernst genommen werden:

Befürchteter Druck auf den Arbeitsmarkt in den Grenzregionen soll abgefedert werden. Weiters soll sich in den Grenzregionen einiges ändern:

- Öffnung des Arbeitsmarkts müsse schrittweise und flexibel von statten gehen.

---

[47] Ebd. S.825-828

[48] Vgl. Johannes Paul II., Ansprache an die Abgeordneten der Europäischen Volkspartei des Europa-Parlaments am 7. März 1997. In: Osservatore Romano, deutsch Nr.12/1997, S.7.

- Übergangsregelungen für sensible Bereiche wie "Arbeitnehmerfreizügigkeit" sind verhandlungsmäßig zu verankern.
- Ausländische Arbeitskräfte sollen durch Grenzgängerabkommen bei Einbindung des Sendelandes in die Ausverhandlung des Abkommens – in die Migrationspolitik - eingebunden sein.

3.2. Vorbereitung der Regionen

- Hilfe von Bund und Ländern ist gefragt – Kofinanzierung und institutionelle Unterstützung für entspr. EU-Programme
- Bildungsprogramme für Gemeindeverantwortliche in Grenzregionen anbieten
- Lehrgänge zur strukturellen Verbesserung von dienstleistungsorientierten Betrieben
- Differenzierte Regionalpolitik – Kommunalpolitik- Landespolitik
- grenzüberschreitende Zusammenarbeit in allen wirtschaftlichen – sozialen und kulturellen Fragen
- Bildungsoffensive in Schulen und Lehrwerkstätten einleiten
- Unterstützung kreativer Projekte bei Prüfung der Nachhaltigkeit

4. Beitrag der Diözese Eisenstadt als Brückenbauer zwischen Ost und West

Unter dem Titel "Diözese Eisenstadt – Brücke zur Kirche im Osten" berichtet das Jahrbuch 1968 der Diözese Eisenstadt S.123 über erste vertiefende Freundschaftsbegegnungen zwischen den benachbarten Diözesen Eisenstadt und Steinamanger (Sombathely). Bei der Seelsorgertagung im Sommer 1966 konnten zum ersten Mal mehrere ungarische Bischöfe begrüßt werden. Folgendes wird berichtet: "Die Mittlerrolle unserer Diözese bewährte sich auch bei der Erneuerung der Kathedralkirche von Steinamanger (Szombathely), die einst für den südlichen Teil unserer Diözese die Mutterkirche war. Auf die Vermittlung des damaligen Diözesanbischofs DDr. Stephan Laszlo, haben drei deutsche Diözesen zur Restaurierung der Kathedrale beigetragen". (Ebd. S.123) Im selben Jahr konnten auch die Kontakte mit der Kirche Kroatiens intensiviert werden. Eine Spendenaktion der Katholischen Männerbewegung für die Erzdiözese Agram konnte durchgeführt werden. Diözesanbischof Stephan Laszlo war als offizieller Vertreter der österreichischen Bischofskonferenz zu Jubiläumsfeierlichkeiten in Sibenik und Djakovo geladen". (Ebd. S.124) An rund 100 Begegnungen könnte man bis dato an Begegnungen zwischen den benachbarten Diözesen auf kirchlicher Ebene aufzählen.

Besonders erwähnt soll hier noch die programmatischen Rede von Papst Johannes Paul II. am 24. Juni 1988 in Trausdorf werden. Es geht dort um die Brückenfunktion des Burgenlands.

In prophetischer Weise grüßt Johannes Paul II. "alle Gläubigen der Diözese Eisenstadt" und "ganz besonders auch die sehr zahlreichen Gäste aus Ungarn und aus Kroatien".[49]

In einem Segensgruß wendet er sich an alle Glaubensbrüder und Glaubensschwestern in diesen Ländern und betont seine Verbundenheit mit ihnen "über alle Grenzen hinweg", da sie "auf das engste in der einen Kirche Jesus Christi verbunden" sind.[50]

Mehr noch, er fordert die Christen des Burgenlands auf "Im Geist des hl. Martin" die Grenzen der Heimatdiözese zu überschreiten," mit ihnen Nachbarn Kontakt zu pflegen "und auch mit ihnen zu teilen, materiell und geistig".[51]

---

[49] Vgl. Pastoralbesuch des Hl. Vaters Johannes Paul II. in Österreich 1988. Die Ansprachen. Hrsgg. vom Bischöflichen Ordinariat Eisenstadt. Eisenstadt. 1988, S. 34.

[50] Ebd. S.34.

[51] Ebd. S.39.

Literatur

Einheitliches Programmplanungsdokument (EPPD). Version: EK-Genehmigung, 04.Mai 2001, CCI 1999.AT.16.1.DO.001.

Studie von J. Fidrmuc, P. Huber und A. Wörgötter: Die österreichische Region: zwischen Ostöffnung und Osterweiterung. 1998. Internetadresse:

http://www. bmwa.gv.at/positionen/ahjb/pdf/Ja8d3b~1.PDF.

Johannes Messner, Das Naturrecht, Berlin [7] 1985

Burgenländische Heimatblätter. Hrsgg. vom Amt der Burgenländischen Landesregierung, Landesarchiv. Heft Nr.3+4, Eisenstadt 2001.

Shareholder-value. Wirtschaftswachstum, Einkommens- und Vermögensverteilung im Lichte christlicher Wirtschaftsethik. Beiträge zur Jahrestagung des Vereins zur Förderung der katholischen Sozialethik in Mittel- und Südosteuropa. Hrsg. von Herbert Pribyl. Wien-Tarnow 2000.

Solidarität und Sozialstaat. Sozialethische Konferenz: Die Bedeutung der Soziallehre der Katholischen Kirche in den mittel- und osteuropäischen Ländern. Tagungsbeiträge. Hrsg. von Michael Schnarrer. Budapest-Wien 1999.

Johannes Paul II. und Österreich. Zweiter Pastoralbesuch von Papst Johannes Paul II. in Österreich 1988. Festgabe der Österreichischen Bischofskonferenz zum 80. Geburtstag des Heiligen Vaters. Hrsgg. vom Sekretariat der Österreichischen Bischofskonferenz. St. Pölten 2000.

Pastoralbesuch des Heiligen Vaters Johannes Paul II. in Österreich 1988. Die Ansprachen. Hrsgg. vom Bischöflichen Ordinariat Eisenstadt, Eisenstadt 1988.

Catholic Neo-scholasticism, modernity and post-modernity

von Janez Juhant

Methodological observation

The aim of this discussion is to show some dilemmas of the modern world which bring about attempts on the part of the so-called currents of post-modernity to solve these dilemmas. A key role within modern developments is played also by Christianity and Christian churches. On the basis of conceptual and social changes, we will try to identify within these processes the dilemmas of the Catholic Church, since it markedly participated in shaping the processes of modernity, the Church is even dependent upon them.

The processes of modernity paved the path for the present globalisation. From the sociological perspective, globalisation is primarily interconnectedness of the modern world. Since globalisation is determined predominantly by financial-economic lobbies, it confronts man and his society with a new challenge; humanists of different conceptual origins are trying to overcome it. Postmodernism is a dialogic offer which stems from heterogeneity of the global world, it is confirmed also by this world's antagonisms which aim to shape globalisation to suit man. The Catholic Church, too, as geographically the most suitable global institution which is spread the world over, can play a major role in these processes. This process of free governance, however, comes also as the biggest challenge in its history and may demand certain adjustments (Beck, 2000, 243, 261), if the Church is to retain its active role in the world development. According to Beck, "the Catholic Church is a post-modern response to the second modernity. More carefully put: It (the Church) could search its pre-modern memory for organisational forms, ideas and answers for the second modernity (post-modernity) and offer something which many find

indispensable for thought and action under the conditions of globalisation." (Ibid. 275)
The Christian religion with a universal (Catholic) organisational foundation can represent an important factor of solving the problems brought about by globalisation. Christianity provided grounds for the crucial demands of post-modernity: concern for an individual, solidarity, subsidiarity and dialogue. As a pre-modern institution, the Church will either manage to appropriately transform itself and actively participate in shaping these processes, or it will become trapped into isolation by the post-modern challenges and thus miss the opportunity to take part in shaping the post-modern world.

Building the united Europe on the ideological ruins of modernity and its technical-rational mind, as well as the post-modern search of a new mode of communication between people, nations, races and other (different) groups, represent demanding and lengthy processes. The predominantly economic globalisation dictates the pace of development; not everybody can keep up with it on equal basis and many are left behind. This is why modern world abounds with tension, what happened on the 11th of September is but one expression of this tension. Its background can be traced in the sharp contrasts of our world, which were made even more obvious by the economic globalisation – accompanied and dictated by media: "Medium is a message". Through media, the whole world becomes "the global village" (Marshall McLuhan, 1911-1980). The global village on one hand creates the feeling of opportunities for all, but on the other hand it imposes the mentality of rivalry. The globalisation of media makes the world's reality even more available to man, it offers itself and is intruding, yet at the same time the differences which deprive individuals and groups of equal opportunities to access the goods of this world become increasingly obvious. J. Rawls thus poses the question of individual's starting point (J. Rawls, Theory of Justice, Cambridge (UP) Ma. 1971).

The problem of inequality and exclusion causes tension and terrorism, the conspirator Osama bin Laden justifies it thus: "Terrifying an innocent person and terrorising him is objectionable and unjust, also unjustly terrorizing people is not right. Whereas terrorizing oppressors and criminals and thieves and robbers is necessary for the safety of people and for the protection of their property ... The terrorism we practice is of the commendable kind for it is directed at the tyrants and the aggressors and the enemies of Allah, the tyrants, the traitors who commit acts of treason against their own countries and their own faith and their own prophet and their own nation ... Tyrants and oppressors who subject the Arab nation to aggression ought to be punished ... America heads the list of aggressors against Muslims ... For over a century, Muslims in Palestine have been slaughtered and assaulted and robbed of their honour and of their property."
(http://ww.pbs.org/wgbh/pages/frontline/shows/binladen).

Man as a symbolic being is constantly determined by the so far existing, settled cultural patterns, which he accepts as he grows. While antiquity and the Middle Ages maintained certain cultural consistency, the subjectivity of modern times wide opened the doors for the subject's gaze and brought into the old monolithic unity the variety established by subjective starting-points. This is the beginning of the modern era, the era characterised by the end of metaphysics and by the affirmation of the subject as an entity who autonomously reconstructs the world (Descartes: cogito ergo sum) along with its antagonisms (Vattimo, Glauben-Philosophieren, Stuttgart 1997, 40 ff.). Pascal perceives this as the greatness and misery of mankind (Pascal, Pensées 397-8), which according to P. Valery lead into "crisis of spirit" (P. Valery, Oevres I, Paris 1757/1960, 989). While the world was originally (according to Plato) governed by the concept of the Good (Plato, Politea, VI/19), to which every soul must submit and which comes from heaven that dominated the ancient Greek and medieval world, modernity transposed conceptual (or ideological) management of the world to the Earth, thus bestowing divine dimensions on the earthly. That is why modern ideologies appropriate the seal of sacredness (P. Bürger, Ursprung des posmodernen Denkens, Weilerswist 2000, 55: G. Bataille).

According to Plato, man as a thinking being has the ability to perceive and comprehend (Gr. theoreín), consequently, the Greek and medieval cultural frame thoroughly follows the guidance of the concept of the Good or God, and dares to explain the world only under its umbrella. German idealists were perhaps the last who tried to preserve this unity and autonomy of the subject by including man into the absolute order of will or freedom that is secured by God as the fullness of freedom (Kant, Fichte), or the fullness of knowledge (Hegel), but they themselves as well as other currents of modernity, especially science and technology as the driving force of modernity, threw open the doors to the revolutionary arbitrariness of the omniscient subject: "Science represented power, human power, but science could not address the question of how this power ought to be used" (McAllister, 163).

The Catholic Church was forced to accept the modern logic of self-regulation. Through Neo-scholasticism, it rendered the Catholic idea operational to be competitive with the modern trends. The social-political engagement of Catholics in relation to some papal social circular letters (Leo XIII, Rerum novarum 1891; Pius XI, Quadragesimo anno 1931; Mit brenender Sorge 1937; Divini Redmptoris 1937) and the implementation of the so-called Catholic policy (Christian-Social or Democratic Party) were of particular social relevance.

Parallel to and in competition with the modern will to power and control of the society, the Catholic Church, too, develops the strategy to control social space and sets up mechanisms for this control, which raises the question regarding the openness of social and spiritual space (Martin Hollis, The Philosophy of Social Science. An Introduction, Cambridge (UP) 1994,X/2). Similarly as in the case of the rational-technical control of systems, the aforementioned control by the Church brings forward the problem of freedom. Just like the philosophical criticism of the modern manageability is placed within the absolute obedience to the concept of the Good (Plato), the

Christian tradition offers analogous obedience to God as the only Guide: "Neither be called masters, for you have one master, the Christ" (Mt 23, 8-12). Since the Church is concerned with proclaiming God's reality, not with control and reign, any technical-rational or merely sociological availability is alien to it. The Holy Spirit provides, according to the Holy Scripture, the necessary freedom for the Church, and enables it to overcome any entanglements and limitations, since Christ brought this genuine freedom to the whole of creation: "...because the creation itself will be set free from its bondage to decay and obtain the glorious liberty of the Children of God" (Rom 8, 21). For this reason, the Church is, in accordance with the Second Vatican Council, in a state of constant renovation ("semper reformanda", cf. GS Nr. 41/2, 62/6 in 91/2, 92/2).

Modernity and total science as self-production

Modernity threw open the doors of the subject's productivity, this resulted from its means and foundations: science and technology as well as ideologies. As put by Izaija Berlin: "One is the development of the natural sciences and technology, certainly the greatest attention has been paid from all quarters. The other, without doubt, consists in the ideological storms that have altered the lives of virtually all mankind: the Russian Revolution and its aftermath - totalitarian tyrannies of both right and left and the explosions of nationalism, racism and, in places, religious bigotry, which, interestingly enough, not one among the most perceptive social thinkers of the nineteenth century had ever predicted" (I. Berlin, The Proper Study of Mankind, London 1997, 1).
Man as a being of intellect wants the entire, absolute knowledge. In the preface to his Philosophie des Geistes (1807), Hegel says: "The being is totally mediated", despite the fact that Aristotle already knew the human logos was incapable to completely unify the world (Aristotle, Metaphisica 1006a 5, Ethica Nikomah. 1142 a 17sl.). Trends in modern philosophy

have been increasingly yielding the totality of knowledge to the subject's organisational-technical ability. Together with the development of science and technology, the subject or the man of modernity has been appropriating the absolute knowledge to completely dominate the world. Because knowledge is the total power, and its guardians prevent it from spreading among the unbidden, as wrote Einstein (N. Barnett, Einstein und das Universum, Frankfurt 1950, 9). The absolute knowledge is thus always the competition and struggle for primacy, as is written about Adam and Eve at the beginning of the Bible: "You will not die. For God knows that when You eat of it your eyes will be opened, and you will be like God, knowing good and evil." (Gen 3, 4-5).

Modernity has taken the total thinking to its extremes, in the last centuries it also sees to its applicability – both socio-political and media-procedural.

MacAllistar points out: "Totalitarianism arises as an intellectual problem if the differences between Nazism and communism appear cosmetic rather than philosophical" and "...reason became merely instrumental" (T.V. MacAllister, 1995, 36, 46).

Modernity asserts absolute, minutely arranged and systematised knowledge. Its ideal is a modern cybernetic machine, which simultaneously regulates itself (man) and the entire reality: "Our civilisation assumes the structure and characteristics of a machine ... and this machine will not settle for less than the total global regime" (P. Valéry, The Outlook of Intelligence, Gergen, 1991, Ch. 2)

"And if the imagery of a machine lies at the core of the modernist understanding of a person, then a characteristic of a mature man should be autonomous reliability. A well constructed machine defies limitations (jam, malfunction) and works reliably. In the same way, a mature man will work 'automatically', dependably, trustworthy and constantly, if he is brought up in this manner within his family and by the society" (Gergen, 1991, Ch. 2). The modern man has therefore used science and technology to create his cybernetic system, which has in turn absorbed him and assigned him the task to function like a machine.

With the introduction and development of Highlife through modern High-Tech-Phase - aeroplanes, television, media-electronic technology, this machine began to accelerate its functioning and reached the absolute velocity (P. Virrilo, Vitesse et politique, Essay sur Dromologie, Paris 1977). Modern technical knowledge controls our reality and at frantic speed drives the modern man and his society into the all-against-all struggle, it tries to completely unify this process, which thus politically gained supremacy over man. The excesses of such policy are modern totalitarianisms: "Western liberal democracies suffered from a profound disorder - a sickness unto death - that resulted 'not from the machinations of our enemies and from the adversities of the human condition but from within ourselves." (MacAllister, 1996, 64; W. Lippmann, Essays in the Public Philosophy, Boston, 1955, 5).

Totalitarian absolutisms, as the climax of the modern subject's endeavours to control the reality regardless of means, brought the modern subject itself into subjection to "technical mind". The development of science and technology accelerated post-Enlightenment: "The (new) modern project would no longer rest upon a discredited Semitic cosmology but upon the methods of science" (MacAllester, 1996, 69). The man of Romanticism as an ideal of completeness and humanity melted into the systemic procedural man. Hence Nietzsche, Husserl and Heidegger criticise modernity for its neglect of humanity. A similar criticism of the modern development came also from existentialists (K, Jaspers, Über die Bedigungen und Möglichkeiten des neuen Humanismus, München 1951) and the adherents of different movements, especially after the horrors of both World Wars and the Great Depression in the 1930s. In the 1920s, the Youth or Crusaders' movement (R. Guardini) demanded spiritual renovation of Christianity which would serve as the basis for the real renovation of the society. This development makes Eric Voegelin wonder: "What does it mean to be human? What is one's place in the totality of reality?" (MacAllister, 75).

"The modern subject surrenders to the procedural process whose consequence is estrangement of spirit. In place of the divine ground of being, man emerges as the ground to himself. The narcissistic closure has many consequences for language and thinking, which today in the socially dominant public of Germany are so evident that there hardly exists anymore a consciousness of their existence", wrote E. Voegelin (Public Essays, 1966-1985, Vol. 12, 21; MacAllister,171). It runs, instead of God, the modern world "with a decapitated metaphysic" (Mac Allister 175). This is the metaphysics of the technical procedural mind, which became barbarianised: "...and debate is impossible in an intellectually and spiritually balkanized society" (Ibid.).

This barbarization is of course not the result of "Balkan intrigues", it resulted from development of the modern society, which used scientific-technical means to build a modern arsenal of weaponry consolidating and maintaining functionality of a modern state (Virillo, La machine de vision, Paris, Gallilée 1988). Control of territory allows no dialogue, technology and weapons rule the world and man. Balkan was but one among the exponents of these processes, examples can be found also in Palestine, countries of Africa and Asia, not to forget Afghanistan. During the war in Bosnia and Herzegovina, the bishop Komarica from Banja Luka experienced and obtained from politicians a confirmation of these modern processes. The modern man wants to control the reality by the force of science, technology and weapons. Neo-liberalism again reinforced this trend when it remained the only globalising superpower after the fall of communist systems. Its strength is manifested by globalisation as the world economic-financial process. The leading role in this process is played by the USA which tries to unify the world by its war against terrorism. Its power lies in physical force based on weapons. Globalisation needs corrections – this is confirmed by strong anti-globalist movements which warn the world's superpowers that the might of weapons should be defeated by the power of dialogue, which remains, despite the demanding relationships in the modern world, the only real alternative in solving these problems.

Neo-scholasticism and the (Catholic) Church

The Christian Church went through another split at the beginning of modern times (1517). The "East-West schism" (1053) already caused the formation of national Christian churches, which, while retaining the basic foundations of Christian tradition, came closer to national cultures. Despite the common Christian doctrine, the Orthodox Church sociologically acquired, due to national-cultural particularities of individual countries, distinctive national connotations, which formed increasingly firm symbiosis of national-Christian culture, thus tying Christianity to the national trends of modernity. Also because of this, the process of modernity was slowed down within the Orthodox Church, while the Protestant support to national causes was more enlightening-critical, though not preventing the national conditioning of Christianity from its contribution in shaping modern protestant states and their national autonomies. Evangelist Christianity (especially Calvinism) gave an impetus to the industrial-technical development, because industria (industry) had theological foundations. The early capitalism also channelled the development of modernity by religious means. Adam Smith thus demanded that capitalists should fear God and should not insatiably crave goods only for themselves, but produce them with moral sentiment for others (A. Smith, The Theory of Moral Sentiments 1759 and An Enquiry into the Nature and Causes the Wealth of Nations, 1776). After him, Max Weber emphasized that the spirit of Christianity built capitalist society, yet he at the same time realised that this society differentiated and that its subsystems attained independence, which erased the universal religious sense in the society (Geist des Kapitalismus, 1904/5).

God is no longer the foundation of the world order, the system of modernity is slowly but surely beginning to function without Him. Society is no longer governed by Christianity, but by technical-rational mind. Leo Straus is thus of the opinion (quoted in Ted McAlllister, 173): "But Nietzsche lived in an age of transition from Christianity to something else, and he wrote Beyond Good and Evil as a precursor of the philosopher of the future. Although he was one of those precursors, Nietzsche was nonetheless an heir of Christianity ... Because, as Strauss argued, Nietzsche replaced the Platonic Eros and pure mind with will to power. (...) The life-giving creativity of the will to power supplies truths and gods." Nietzsche's natural man is Machiavelli's man, the man of power, the power by which he controls the life of modernity, except in the USA. According to Strauss, however, even the American liberalism after 1950 found itself in crisis and relativism, which means the transition from "firm belief in certain values (i.e. liberal democratic values) to an inability to affirm any values", because the religious foundations, which have so far determined the American society, vanished. We are witnessing the fact that "dogmatic atheism, upon which modern social science rests, erodes the religious beliefs that help make liberal democracy possible - or et least liveable." (Ibid. 164). This is today an acute problem not only in the USA, which appeals to "In God we trust", but also in the European and other (liberal) democracies, where the procedural policy of power is becoming increasingly prevalent. The latter is determined by the global capitalist and market-oriented economy, which drives out the weaker. All this is being done systematically through the symbolic establishment of the world, which is shaped by media's decisive "influence on masses". Pre-conscious and subconscious play an important role in this, as stated by Cassirer and Rickert. (Cf. K.Wiegert, Stuttgart 1998, 96 and 98). This is the world of scientific-technical projection.

How does the Catholic Church respond to these processes of modernity? Is it really about "omnivision of Theos from Judaic-Christian tradition, which gave the impression that we were offered the opportunity to discover the basic structure of being in its totality", as put by Habermas. Does the Church, like other systems of modernity, pursue all-embracing knowledge and control? This process represents a special challenge to the Church because of the increasingly aggressive attempts of the systems of modernity to partially divest the Church of its "omnivision" and drive it to the social margin. This is reflected in the views of popes, particularly those of Benedict XIV and Pius IX, who were at the beginning favourably disposed and open towards the demands of modernity for freedom of thinking and action. Yet they were driven out of the settled socio-political frames (church state, unity of church and state) by violent interventions, so they turned their back on the trends of modernity.

From the sociological perspective, in the unfolding of these developments the Church through Neo-scholasticism took increasingly resolute steps as a parallel system and defied the systems of modernity. Neo-scholasticism, as a total system of thought and control, was by theology gaining deeper foundations, which were the sign of transcending of sociology, but it eventually became, due to external pressures and the need of organisational-technical adjustment, one of the modern systems, although it retained its pre-modern conservative (religious) foundations. This engendered growing discord between the Church and modernity, which is manifested by periods of pronounced crises of the Church in the last two hundred years. These dilemmas appeared most distinctly at the Second Vatican Council. The Church had till then sought a new basis for social, political and cultural action in the world of differentiated and systemically-theoretically organised modernity, but it countered the modern trends with the formally perfected neo-scholastic system. This problem is clearly reflected in the attitudes of popes towards modern trends: the differences in actions of the same popes (Benedict XIV and Pius IX) and differences in actions of different popes, e.g. the introversion of Pious IX and social openness of Leon XIII), yet the Church always perceives itself as a "perfect society" (societas perfecta).

The origin of this process can be traced back in medieval scholasticism, which raised theology to the level of science (in statum scientiae), theology thus also provided the foundations for the modern lay scientific-technical image of the world and in turn itself became its competition. Together with science, theology asserted the universal power of rational control over reality and succumbed to delusive glitter of this self-organisation. Under the influence of the most prominent late-scholastic thinker Francis Suarez and other successors of Thomism, the neo-Thomistic universal system, functionally akin to the modern systems of control, emerged from the Thomistic creationistic thought bound up with potentia oboedientialis creationis. Within the church institution, this system tried to "develop the basic structure of being in its totality", as put by Habermas; however, it did not accept the modern subjectivity, although it was Christianity that created it.

The processes of modernity and modern differentiation therefore reflect the problem of Christianity which is in this manner organised in different churches. The Catholic (universal) Church found this particularly difficult, because the Church organisationally controlled the world until modern times and spread the religion by missionaries the world over, and with the arrival of modern subjectivities this universal world of the Church fell apart. Through the differences in conceptual or ideological foundations enforced by liberal-national states (France, Italy, Germany, Austria), this image of Christianity experiences escalating conflicts with the forces of modernity. This holds true even for the Austro-Hungarian monarchy, which declared itself as a catholic state, yet departed from Christian values, despite the fact that its emperor hold the title of an apostolic ruler and appointed Catholic bishops. Although his politicians in the Vienna Parliament, for example in 1907 the Slovene Janez Evangelist Krek, spoke in favour of separating the Church from state.

The Church did not accept subjective points of departure of Hermes, Günther or Baader, characterising them as semi-rationalism (DS 2914, 2919). On one hand, these thinkers build on the subject's openness in faith, yet they do not advocate complete rationalism. On the other hand, they are condemned by the Church exactly for their enforcing of modern subjective (semi)rationalism. The neo-scholastic system thus strengthens the functionality of faith and the Church in contrast to modernity, whose trends jeopardize the Church. Trends of modernity - variants of liberalism in particular, are more and more energetically opposing this by the basic modern weapon

– by subjectivity, which is within the Church covered by neo-scholastic totality. The Church for this reason tries to secure an indisputable and complete theological view of the world (omnivisio), which should a priori enable it on theological bases to be competitive with the systems of modernity. Neo-scholasticism, instead of becoming potentia oboedientialis (Thomas Aquinas, S. Th. III, q. 11 a.1c; De veritate q. 29 a. 3) and freedom of the believing, thus becomes the pitfall of its absolute formation of objective knowledge and the pertaining control of the world. The systems of modernity (science: Galilei; politics: Machiavelli, Hobbes; society: Marx) divest the Church of its legitimacy based precisely on these points, which are not immanent to the Church, since it admitted the "autonomy of earthly realities" on the Second Vatican Council, (GS Nr. 36), which is relative (in faith) with regard to God (Ibid. 36/3), yet autonomous in regard to the Earth.
In order to secure its mobility within the world of modernity, the Church therefore tried, on the basis of its set social extension and conditioning, to compete with the "neo-scholastic omnivisio", which is systemically-functionally more mobile and technically-rationally more elaborate and organised system of modernity. However, the organisational form could not mediate the appropriate new contents. Besides this, the circular letter Aeterni Patris 4. Aug. 1879 by Leon XIII refers to Thomas Aquinas, who set the best foundations of theology and is thus "granted the most distinguished placed (priority) within the Church" (DS 3139, 3140). Yet Neo-scholasticism failed to pay due attention to Thomas' maintenance of the tension between the faith and the rational system, which is clearly manifested by the event from 1273, the so-called revelation of Aquinas: "All I have written is trash if compared to what I saw and what was revealed to me" (cf. J.-P. Torell, Magister Thomas, Freiburg Br 1995, 302).
The Church, as a pre-modern system, organised in a modern way with a hierarchical symbolism, (P. Virrilo, Sehmaschine, 62), its power rests on emphasising that the earthly reality depends on God, for which only faith is competent, not the intellect; so the Church can compete with modern systems only by

faith. This is confirmed also by the exposé of John XXIII and in particular by the Second Vatican Council, as well as by the exposés of the present pope John Paul II – especially his constant advocating of dialogue and non-violence in modern world. This is a model the Church can apply in modernity; when it advocates the foundation of faith, it acts in accord with the demands of modernity.

Church and society: a post-modern vision

Pier Aldo Rovatti says that J. Vattimo, who resumes the criticism of domineering thinking of modernity (as put forward by Nietzsche, Husserl and Heidegger), advocates the so-called "weak thinking" (G. Vattimo, Glauben-Philosophieren, 27). Regardless of the arguable timing of the criticism addressed to the "weak thinking", we can agree with Vattimo that the problem of the domineering knowledge of modernity lies in its suppression of the subject's integrity, despite the fact that this modernity triggered his autonomy in the first place. Modern systems tend towards operability and total control of reality; in the opinion of P.Virillo (P. Virrilo, Vitesse et Politique, Paris 1977) and Jean Baudrillard the system runs more and more quickly, so man can no longer control it with his intellect – he who created the system fell prey to the system's control, the system which is now determined by the liberal economy with its consumerism and media. It would be also interesting to explore the role which Christian churches played in establishing and maintaining communist systems that gained ground primarily in the societies with a tradition of obedience, which was conditioned also by consolidating of the society's economic patterns (Russia, China, as well as some Catholic countries - Poland, Slovenia, Spain). It is interesting that Marxism was not established, according to the expectations and predictions of its theoreticians, in the societies with a distinctively modern (protestant) autonomist tradition.

Vattim believes that the "weak thinking" prevailed primarily due to philosophy as well as Christianity because it took part in shaping modernity.

Vattimo defines the "weak thinking" in contrast to total thinking as thinking which includes not only the history of being, but also the history of its weaknesses and nihilism. Vattim thinks that we can only in this way avoid, in a Heideggerian sense, the totally domineering thinking and its total nihilism. The "weak thinking" is the thinking of man, a person: his ability to govern his situation, yet at the same time the ability to take into account his own dependency, pitfalls and mistakes, and thus also recognising his own limitations and temporalness (Heidegger). Here, according to Vattim, is where philosophy and Christianity meet or complement, accepting such thinking is therefore the obligation of all institutions: state and civil, also the Church. The conditions for establishing such thinking are:

(1) Respecting the integral image of man (integer) or man's autonomy as a person; (2) This in turn forms the basis of the subsidiary society; (3) Taking into account the transcendence of a person; (4) Interpersonal solidarity; and (5) Dialogue.

1. In his essay Beantwortung der Frage: Was ist die Aufklärung: Sapere aude, Kant demands the following: Have courage to use your mind. To educate people to become mature, independent and responsible persons means to allow for man's personal autonomy. The Christian social teaching is based on man as a person in the likeness of Jesus Christ, which is written in the documents of the Second Vatican Council (GS Nr. 12sl., 22) and in circular letters of the last popes. In view of the omnipresent manipulation, the enslavement of man by media and others, it is even more important today, as put by Leonardo Boff, that man can be wilfully present everywhere. We need autonomous people who do not succumb to opinions, prejudices or merely external commands. This requires that the Church also within itself educate autonomous, mature and independent persons – Christians who can be the salt of the earth and ready to defy these traps and challenges of the modern world. Prophetic attitude can be based only on such mature and independent person. As early

as in the middle of the 20th century, Karl Jaspers pointed out that amidst modern technology man needs to regain his face, which is a prerequisite for the successful future of human society (K. Jaspers, Über die Bedingungen und Möglichkeiten des neuen Humanismus München 1951)

2. The principle of subsidiarity is based on the Christian social order (circular letter QA 1931, Nr. 86-88), which became the foundation of the world's democratic order. This principle takes into account the direct competence of a person and persons, for they themselves will best evaluate a situation and act accordingly. A society which is founded from below secures its successful development. Modernity stuck in a cul-de-sac precisely because of the total systems regulated from above. Though they started from autonomy of a person, both liberalism and neo-liberalism neglected this principle, which is a problem of modern democracy. Local or regional competent self-government is the basis of a successful society. Ulrich Beck says that today we must act globally by acting locally (locally - globalisation is glocalisation; U. Beck, Freiheit oder Kapitalismus, Gesellschaft zu denken, Frankfurt 2000, 238). The locus is thus of utmost importance. Only subsidiary society can be a democratic society which enforces particularistic justice (Michael Walzer). Globalisation uses media to turn the world into a single village (McLuhen: Global Village), this village should be allowed self-regulation (from below). The Church accepted the sodality principle, but the institution now faces problems caused by the aforementioned development of the Church's structure which is modelled after modernity. The prospects and future of the Church lay in its local autonomy, which will obligate the lower to settle their own affairs in faith.

3. Modernity created a one-sided image of man as a person. Science, technology and media-treatment of life subjected man's image to become robot-like, perfect and absolute. Jobs demand more and more accomplished people who function one hundred percent. Because man as a rule falls short of this ideal, the number of depressive people is increasing, in some places even to 45% of all population. The research has shown that the constant fluctuation due to inability to reach the norms

brings about new problems, namely, co-workers constantly have to adapt to each other. Man is as a person indeterminable, exceeding being; to put it in a Christian way: people are beings open to God. No one can nor should appropriate us completely. The integrity of a person is thus assured in God. The person's foundation in God in turn assures his autonomy, enabling him to overcome his limitations, to resist evil, and, since he knows his own limitations, to be tolerant towards his fellowmen. Politicians, public officials and priests will be able to act independently and justly if they internalise deeper motives (in faith). Within the Church, the foundation of a person in God is the basic condition and driving force of the Church's work, it is its specificity in the world. Everything has its standards, its organisation and its entire sense only in faith. This is an eminent task performed by Christians and the Church community on the Earth. All else derives meaning from this. Even the operating of state institutions and civil society is incomplete and lacks the appropriately deep basis, which provides dependable regulation of interpersonal problems, if they do not admit that man as a person exceeds any system.

4. The foundation in faith qualifies persons also for solidarity. Globalisation integrates economically, media display undreamed-of possibilities, yet we need universal solidarity which will enable man to satisfy at least his minimal needs. This begins again on the local level. The question "Who is my fellowman" is answered in close proximity to each other, people can be overlooked if viewed from afar. Solidarity means openness towards others, which are beings of need. Man in distress needs his fellowmen – this is the key for solving problems of the modern world. If economists, financiers and politicians do not feel solidarity, they will still build a functional society, but they will also bring about their own slow demise in the same society. Man is today lonely also in the Church, especially a priest, who is on the margin of the hierarchical system, a solitary defender of faith in the company of modernity. The need for associating is also confirmed by the movements which unite people within the Church into the community - into ecclesia.

The solution of complicated problems of the modern world and the Church is conditional also on dialogue, to which all other enumerated conditions point. Church documents call attention to dialogue (e.g. GS Nr. 1, 2, 58, 82; Paul VI, Ecclesiam suam 1964 et al.), it is pointed out by post-modern thinkers, politicians shoot their mouth about it. Every war, too, has to end in dialogue. Man comes into the world and is able to survive only in dialogue (with mother and other people). Dialogue is the basic form of human interaction. Man's symbolic world is established through dialogue. Dialogue is the fundamental frame of the Church's work (Paul VI). The Church can and should set an example of dialogic solutions of problems. Dialogistic predisposition also makes us open to God. Jesus comes to the world to tell us about the Father, retreats from the world to enable the Holy Spirit to act through him. Dialogue within the Church opens us to the Spirit: the Church acts through it when it testifies in faith. The world of today is due to strained relations forced into dialogue. Dialogue in politics, economy and elsewhere is a precondition for survival. Anti-globalist demonstrations and sophisticated questions of integration demand dialogic disposition, because this is the only hope for the future of mankind. The spreading of technology and media opposes this principle, yet man has no other choice. Family, in particular, should educate for dialogue, although today this may prove a difficult task. Dialogically firm and associated persons feel together and are stronger when it comes to solving their problems or helping others. For the Christians within the Church, such alliance today represents almost the matter of survival of the faith and the Church, it is thus the key issue of relating among ourselves and with others. The necessity for dialogue between religions is also becoming more and more apparent. It is not so much about a single world ethos (H. Küng) as about strengthening one's own ethos by enriching it with other religions. The depth of faith provides firmness and openness towards others, since profundity is the place where people of different religions and beliefs can meet. That is why Gandhi said what is now repeated by Dalai Lama - we do not need convert to other religions, but deepen our own. Deeply religious and socially sensitive persons will be capable of empathy and co-existence with the different (sympáthos). It is thus possible to overcome, in the sense of the post-modern demand which is, according to Habermas, "the most creative part of philosophic reflection", also the present conflicts: the problems of male and female equity (Benhabib), false and genuine identity (M. Foucault, Rorty; Horster, Postchristliche Moral, 101), disappearance of reality (Baudrillard/Guattari), the problem of equity among discourses (Lyotard), as well as to preserve the other as the other and different (J. Derrida, E. Levinas, Totalität und Unendlichkeit, Freiburg 1987, 44)

Europäische Perspektiven in Kroatien

von Ivan Devcic

Es gibt heute kein europäisches Land, das gegenüber den aktuellen europäischen Integrationen indifferent wäre, weil ein solcher Indifferentismus in eine selbstgewollte, aber aussichtslose Isolation führen würde. Das kroatische Volk und die kroatische Regierung sind sich dessen bewusst. Darum sind in Kroatien Europa und seine verschiedenen Integrationen ein vorrangiges Thema. Die Angst, von diesen Integrationen ausgeschlossen zu bleiben, nicht rechtzeitig eingeschlossen oder sogar den Balkan-Staaten zugeordnet werden, wirkt in Kroatien wie ein Gespenst. Deshalb wird ein intensives Europagespräch geführt, dass verschiedene Ausgangspunkte hat: Geopolitik, Geschichte, Kultur, Nationen, Institutionen, Wirtschaft, Religion usw. Hier möchte ich, in gebotener Kürze, etwas von dieser Diskussion vermitteln, wobei ich mich nur auf ihre geopolitischen, geschichtlichen, kulturellen und religiösen Aspekte beschränke.

1. Europa in Kroatien aus geopolitischer Perspektive

Die Protagonisten der Europadiskussion setzen aus geopolitischer Perspektive bei der Frage nach den Grenzen Europas an. Sie meinen, dass die Bestimmung seiner Grenzen vom Kontext abhängt, in dem man das tut, wie auch von den Perspektiven, die man vor Augen hat. Im Hintergrund dieser These steht die Überzeugung, dass die geopolitische Lage nicht mit dem natürlich-geographischen Ort eines Landes identisch ist. Die erste ist ein dynamischer gesellschaftlich-geographischer, die zweite ein statischer natürlich-geographischer Begriff. Daraus ergibt sich die heutige unterschiedliche Plazierung Kroatiens. Während die europäische

Politik Kroatien auf dem Balkan sieht, sehen sich die Kroaten selbst in Mitteleuropa.

All das ist mit großen Enttäuschungen und Missverständnissen verbunden. In Kroatien, und nicht nur in Kroatien, ist "Balkan" ein Begriff, mit dem man Unordnung und Rückständigkeit bezeichnet, während "Europa" das Gegenteil bedeutet. Darum erleben die Kroaten jede Plazierung ihres Landes auf dem Balkan als eine Geringschätzung und Beleidigung von Seiten der europäischen Politik, aber auch als ein Zurückbleiben der europäischen Politik hinter der europäischen Kultur. Darüber werde ich später etwas sagen.

Die Kroaten sind unermüdlich bei der Hervorhebung ihrer tausendjährigen Zugehörigkeit der politischen, wirtschaftlichen und kulturellen Geschichte Westeuropas. Die Analytiker unterscheiden in diesem Zusammenhang zwei wesentliche europäische Einflüsse: zum einen den der Mittelmeerländer (vom Süden und vom Westen) und zum anderen den Mitteleuropas. Der erste Einfluss brachte Kroatien in Verbindung mit der romanischen Population (bes. der italienischen) und mit der katholischen Religion und der damit verbundenen Kultur. Der zweite Einfluss bedeutete politische Kontakte und Integrationen mit der germanischen und ungarischen Bevölkerung, sowie religiöse und kulturelle Berührungen nicht nur mit dem Katholizismus, sondern auch mit dem Protestantismus und dem Judentum. Es gab zwar auch einen Einfluss vom Osten, der Kroatien mit den Balkan-Ländern und mit den Serben, wie auch mit der Orthodoxie und dem Islam in Berührung brachte, aber dieser Einfluss war bei weitem nicht so stark wie die beiden ersten.

Darum haben die Kroaten große Schwierigkeiten zu verstehen, warum ihr Land unter die "balkanischen Staaten" eingeordnet wird. Diese Schwierigkeiten sind umso größer, wenn man weiß, dass diejenigen, die das tun, um das kroatisch-europäische Erbe wissen. So wird in der "Enzyclopaedia Britannica" Kroatien gleichzeitig als ein Land mit westlichem Erbe und als ein "Balkanstaat" bezeichnet. Diese, in Augen der Kroaten widersprüchlichen Behauptungen versucht man mit Hilfe der zwei oben erwähnten Begriffe zu erklären. Mit anderen Worten: Während die Kroaten meinen, dass das westliche Erbe ihres Landes ausreichend ist, um heute dem Kreis der westlichen Ländern zugezählt zu werden, heben die westlichen Politiker auch andere, in ihren Augen genauso wichtige Argumente hervor, z.B. demokratische Institutionen und Werte, Wirtschaft und Politik als Kriterium, nach dem man bestimmt, ob ein Land zum modernen Europa zählt oder nicht. Das kulturelle und historische Erbe reicht dafür anscheinend nicht aus.

Daraus schließt man, dass es am meisten von uns selbst abhängt, ob und wann unser Land als ein integraler Bestandteil des modernen Europa anerkannt und akzeptiert wird. Je schneller wir moderne demokratische Standards akzeptieren und entwickeln, umso größer wird die Wahrscheinlichkeit, dass die Einordnung unseres Landes unter die Balkan-Staaten von Seiten der Westpolitik aufgegeben wird.

Allerdings muss man auch anmerken, dass nicht alle in Kroatien so denken. Es gibt viele, die überzeugt sind, dass es eine Verschwörung der europäischen und westlichen Staaten gegen Kroatien gibt, weil seine Existenz sie hindert, den Balkan-Raum nach ihren Plänen einzurichten. Die Vertreter dieser Meinung heben hervor, dass von den Westlern die angeblich unzureichend entwickelte Demokratie nur eine Ausrede sei, Kroatien dort zu plazieren, wo sie es sehen wollen.

Aber auch diejenigen, die in westlichen Forderungen keine Verschwörung sehen sind der Meinung, dass es nicht gerecht ist, unser Land mit anderen Balkan-Staaten unterschiedslos gleichzusetzen. Es sind nicht alle Länder der Transition gleich entfernt von den Standard-Vorstellungen der Europäischen Union und ihren Integrationen. Sie meinen, dass Kroatien viel näher den Anforderungen der Europäischen Union ist als z. B. osteuropäische und südosteuropäische Länder. So ordnen sie unser Land, zusammen mit Polen, Tschechien, Slowakei, Ungarn und Slowenien in die Gruppe der mitteleuropäischen Ländern ein, die die Kriterien der Europäischen Union am meisten erfüllen. Dadurch, dass die Europäische Union diesen Standpunkt Kroatiens nicht anerkennt, sondern es in Gemeinschaft mit den Balkanländern sieht, werden viele Enttäuschungen und Frustrationen bei Bewohnern Kroatiens ausgelöst. Daraus schließt man auch, dass die europäische Politik in diesem Raum Interessen verfolgt, die nicht mit kroatischen Interessen ganz identisch sind.

2. Europa in Kroatien aus geschichtlicher Perspektive

Überlegungen über Europa, die die Geschichte als Ausgangspunkt haben, befassen sich hauptsächlich mit der Analyse verschiedener Integrationen der Vergangenheit auf dem Boden Europas. Seit der Römerzeit gab es in Europa verschiedene politische, militärische, wirtschaftliche, religiöse, kulturelle und ideologische Integrationen. Um die Zukunft europäischer Integrationen zu planen, muss man aus der Geschichte lernen.

Was lehrt uns die Geschichte im Hinblick auf die europäischen Integrationen? Sie lehrt uns besonders über viele Typen der Integrationen nachzudenken, die es in Vergangenheit gab und die es wahrscheinlich auch in der Zukunft geben wird. Dabei kann man unterscheiden zwischen den Integrationen die freiwillig oder spontan entstanden und denen, die auf gezwungen wurden. Verschiedene kulturelle und ideologische Integrationen waren meistens freiwillig, während politische und militärische aufgezwungen wurden. Wirtschaftliche Integrationen waren oft eine Folge der politischen und militärischen, obwohl auch andere Faktoren eine gewisse Rolle gespielt haben, wie z. B. Markt und Handel.

Man kann ebenso feststellen, dass sich in Europa Integrationen und Desintegrationen gegenseitig ablösten. Nach der großen politischen und religiösen Integration im Mittelalter, als es ein Imperium und viele Königreiche zusammen mit einem katholischen Glauben gab, folgte in der Neuzeit eine Zersplitterung auf politischer und religiöser Ebene die viele andere Desintegrationen mit sich brachte (Kultur, Philosophie, Ideologie, Recht, Wirtschaft). So entstanden in der Neuzeit auf dem

europäischen Boden viele Nationalstaaten, und ein in sich zersplittertes Christentum das uneins ist.
Beide Modelle, sowohl das mittelalterliche wie auch das neuzeitliche, hatten neben den Vorteilen auch viele Nachteile, und sie misslangen. Dabei handelte es sich immer um dasselbe Problem: Um das Verhältnis des Ganzen und der Teile. Das mittelalterliche Modell konnte nicht die Rechte der Teile auf befriedigende Weise behaupten, und das neuzeitliche nicht die Rechte des Ganzen. Es hat sich gezeigt, dass die neuzeitlichen Nationalstaaten ihre eigenen Interessen nicht mit den Interessen der anderen entsprechend verbinden konnten, wodurch viele politische Spannungen und Kriege verursacht wurden, darunter auch zwei Weltkriege.
Im Lichte dieser historischen Erfahrungen fragt man nach den aktuellen und künftigen europäischen Integrationen. Es ist offensichtlich, dass die heutigen Integrationen aus der Unfähigkeit der modernen Nationalstaaten entstanden sind die Wirtschafts- und Friedensprobleme zu lösen. Aber auf Grund der bisherigen Erfahrung mit den europäischen Integrationen ist die Frage berechtigt, ob eine Integration auf rein politischer und ökonomischer Basis auf Dauer bestehen kann. Diese Frage ist umso berechtigter als Europa auf anderen Gebieten, wie z. B. Religion und Werteauffassung, weiterhin nicht nur zersplittert ist, sondern immer zersplitterter wird. In dem Sinn ist die Rolle der Religionen und der Kirchen zweifellos unersetzlich bei einer Integration Europas auf der Basis von Werten und Überzeugungen.
Ebenso zeigen die historischen Erfahrungen, dass keine europäische Integration eine echte Perspektive hat, wenn in ihr einerseits das europäische Gemeinwohl und andererseits das partikuläre Wohl der einzelnen Staaten und Nationen nicht garantiert wird. Daraus ergibt sich die Notwendigkeit einer intensiven Klärung der Frage, was das europäische Gemeinwohl ist, wie auch die Notwendigkeit der Bewusstmachung, dass die sozialethischen Prinzipien der Subsidiarität und der Solidarität unersetzliche Bausteine einer aussichtsreichen europäischen Integration sind. Hier öffnet sich ein Feld, auf dem die

Katholiken die Soziallehre ihrer Kirche besser zu Geltung bringen könnten.
In diesem Zusammenhang muss auch erwähnt werden, dass es in Kroatien große Skepsis gibt, ob die neue europäische Integration auf diesen Prinzipien tatsächlich aufgebaut wird. Der Grund dafür ist unsere bisherige Erfahrung mit der Europäischen Union. Viele Kroaten sind zu dem Schluss gekommen, dass Europa bei uns nur seine Interessen verfolgt, ohne eine ehrliche Berücksichtigung der Interessen unseres Landes, und unserer Bürger. Damit will ich nicht behaupten, dass solche Meinungen berechtigt sind. Ich will nur auf ihr Vorhandensein aufmerksam machen.

3. Europa in Kroatien aus kultureller Perspektive

Aus kultureller Perspektive wird in Kroatien über Europa besonders unter zwei Gesichtspunkte diskutiert:
a) unter dem Gesichtspunkt des Multikulturalismus und
b) unter dem Gesichtspunkt der Rolle der Kultur im Prozess des Aufbaus und der Aufrechterhaltung der europäischen Integration.
Werfen wir einen kurzen Blick auch auf diese Diskussion.
Zu a) In der Diskussion über die europäische Integration und den Multikulturalismus wird vor allem die Frage hervorgehoben, ob das vereinigte Europa kulturell ein "melting pot" (Schmelztopf) oder ein "salad bowl" (Salatschüssel) sein wird. Im ersten Fall geht es um eine Marginalisierung der nationalen und ethnischen Kulturen zugunsten einer neuen europäischen Kulturidentität, im zweiten um eine Koexistenz verschiedener Kulturen im integrierten Europa.
Wir sind in Kroatien besonders empfindlich bei dieser Frage, weil wir das kommunistische Experiment hinter uns haben, das eine neue nationale und kulturelle Identität der jugoslawischen Völker durch Verdrängung ihrer nationalen und kulturellen Identitäten gefördert hat. Aber die Erfahrung zeigt, dass die Vielvölker-Staaten, wie es Jugoslawien war, sehr leicht zugrunde gehen, wenn sie eine falsche nationale und kulturelle

Politik entwickeln. Das vereinte Europa ist ein solcher Vielvölker- und Vielkultureller-Staat. Darum wird seine Zukunft sehr stark von seiner nationalen und kulturellen Politik abhängen. Aber nicht nur wegen einer falschen kulturellen und nationalen Politik ging Jugoslawien zugrunde, sondern auch wegen der großen kulturellen Unterschiede zwischen den Völkern, die es bildeten. Daraus lässt sich schließen, dass das vereinte Europa als ein Staat mit unterschiedlichen Kulturen auch ähnliche Schwierigkeiten haben wird, deren Meisterung eine große politische Empfindsamkeit verlangt.

In diesem Sinn empfinden wir das Insistieren der westlichen Politik, dass Kroatien sich in den Balkan oder Südwesteuropa integriert, obwohl es dem westlichen Kultur- und Geschichtskreis angehört, und trotz unseres Wunsches, uns mit dem Westen zu integrieren, als ein Fehlen an dieser so notwendigen Empfindsamkeit. Dass ist Anlass zu der Frage, ob solches Verhalten nicht eine allgemeine Tendenz ist, die, falls sie nicht aufgehalten wird, große Probleme in der Zukunft für die Union im Ganzen darstellen könnte.

Andererseits werden in der Diskussion auch die Grenzen des Toleranzprinzips und des damit verbundenen Multikulturalismus nicht übersehen. Es ist bekannt, dass die Toleranz als ein fundamentaler Wert in jeder westlichen Gesellschaft betrachtet wird, mit dem man auch den Multikulturalismus rechtfertigt. Aber wie kann man das Verlangen der Muslime tolerieren, dass ihre Mädchen nach islamischer Tradition erzogen werden, und nicht im Geist der liberalen Weltanschauung der westlichen Gesellschaft, in der sie leben? Oder, wie kann man, im Namen des Multikulturalismus das Gesetz der fatwa tolerieren, das die Redefreiheit verbietet, ohne auf die Redefreiheit zu verzichten? Bedeutet nicht ein Verbieten solcher Erscheinungen auch eine Abweichung von der Idee des Multikulturalismus? Aus diesen Beispielen kann man ersehen, dass Multikulturalismus auch ein Problem für seine Befürworter selbst ist. Aber diese Schwierigkeiten darf man wohl nicht so verstehen, als ob man auf der Idee des Multikulturalismus in der heutigen Welt verzichten könnte oder müsste;

das bedeutet, dass man ein gewisses Praktizieren des Multikulturalismus revidieren muss.

zu b) Die Rolle der Kultur im Prozess des Aufbaus und der Aufrechterhaltung der europäischen Union wird durch die Unzulänglichkeit der allein ökonomischen und politischen Motive begründet. Diese Unzulänglichkeit beweist die europäische Geschichte, in der die ökonomisch-politischen Faktoren mehr eine desintegrierende als eine integrierende Rolle spielten, im Unterschied zur Kultur, die ihr wesentlich konstruktives und integratives Gesicht gezeigt hat. Das heißt, dass das neue Europa eine Politik braucht, die ihr Vorbild in der Kultur haben muss.

Wenn man europäische Kultur sagt, meint man nicht eine mechanische Gesamtheit verschiedener Substrate oder nur Produkte des europäischen Geistes, sondern eine fruchtbare und kreative Tätigkeit, in der sich eine Beziehung des Gebens und Empfangens realisiert. Andre Gide sagte einmal, dass sich der wahre europäische Geist sowohl dem nationalistischen Isolationismus als auch dem Verlust der nationalen Identität widersetzt, die der Internationalismus als einen Störfaktor empfindet. Mit anderen Worten, der europäische Kulturgeist setzt einen kreativen Austausch offener Subjekte voraus, d.h. eine Verschiedenheit der Nationen, Sprachen und Kulturen, die im Prozess des kreativen Gebens und Nehmens das bilden, was man europäische Kultur nennt.

Daraus ergibt sich für die Zukunft Europas eine dreifache Forderung:

Es muss sich im Namen seines konstitutiven geistlichen Prinzips, d. h. im Namen der kreativen Einbeziehung verschiedener Identitäten, im Verhältnis zu anderen, jeder Art der von der Globalisation geforderten Gleichmachung widersetzen.

Es muss sich jeder Art der Gleichmachung innerhalb seiner eigenen Grenzen widersetzen. Diese Forderung ist nicht ohne Grund, denn man weiß, dass Europa auch eine Wiege verschiedener Totalitarismen und Kollektivismen war.

Europa braucht eine Politik, die seiner Kultur folgt, d. h. die nicht diejenigen aus der europäisch-politischen Gemeinschaft aus-

schließt die kultur-geschichtlich zu ihr gehören, und die nicht nur den Willen und die Interessen der Stärkeren verteidigt.
Wenn man all das vor Augen hat, kann man besser verstehen, warum Kroatien unzufrieden mit dem Platz ist, den ihm die derzeitige europäische Politik zuweist. Es geht nicht nur um verletzte Eitelkeit, sondern um eine Unzufriedenheit, die durch das Zurückbleiben der aktuellen europäischen Politik hinter der europäischen Kultur verursacht wurde. Darum kann man diese Unzufriedenheit auch als ein Appell verstehen, dass die Politik nicht das ausschließt, was die Kultur integriert hat, und dass die europäische Politik dem dialogalen Weg der europäischen Kultur folgt.

4. Europa in Kroatien aus religiöser Perspektive

Die religiösen Überlegungen über ein Europa in Kroatien folgen den Ideen und Inspirationen des Hl. Vaters Johannes Pauls II. Das heißt, dass man nach einem Europa vom Ural bis zum Atlantik trachtet, und dass seine Einheit nicht nur auf Prinzipien der Politik und Wirtschaft, sondern auf seinen ursprünglichen geistlichen und christlichen Prinzipien bauen soll. Auf diese Weise wünschen sich, zusammen mit dem Papst, die Christen Kroatiens, dass Europa seine christlichen Wurzeln wieder entdeckt und so seine wahre Identität findet.
Um das zu erreichen, muss Europa auf drei Herausforderungen antworten:
1) Es muss auf die Herausforderung der religiösen Einigung antworten. Eine vollkommene europäische Einheit wird es nicht geben, solange die religiösen Trennungen nicht überwunden werden. Darum haben ökumenische Bewegungen und Anstrengungen nicht nur rein religiöse Bedeutung. Das heißt, dass die geteilten Christen Europas, in dem Streben nach europäischer Einheit, ein "Zeichen der Zeit" erkennen müssen, wodurch Gott seinen heiligen Willen ihnen offenbart, dass sie das Ärgernis der Trennung beseitigen. Man kann feststellen, dass die Christen in Kroatien sich dessen immer

bewusster werden. Darauf weisen viele ökumenische Signale und Gesten hin. Die hiesigen Katholiken sind sich auch der Tatsache bewusst, dass sie an der Grenze mit der Orthodoxie und dem Islam leben, woraus sich ihre besondere Verantwortung für die religiöse und politische Einheit Europas ergibt. Aber sie möchten - um es nochmals zu wiederholen -, diese Verantwortung diesseits, und nicht jenseits der Grenze realisieren, d. h. als Bestandteil des politischen Europas und nicht des Balkans. Vom politischen Europa erwarten sie eine Würdigung und Anerkennung dieses legitimen Wunsches.

2) Europa muss auf die Herausforderung der Überwindung des Positivismus, Relativismus und Materialismus antworten. Ein Europa, das seine geistigen und religiösen Wurzeln wieder entdecken will, muss sich unbedingt mit dieser Herausforderung auseinandersetzen. In der europäischen Geistesgeschichte ist dieses Streben nach den metaphysischen Tiefen des Lebens tief und unauslöschbar gelegt. Europa ist Heimat nicht nur der positiven Wissenschaft mit ihren relativen Wahrheiten, sondern auch der Metaphysik mit ihrem Anspruch auf letzte und absolute Wahrheiten, ohne die die höchsten europäischen Werte der Menschenwürde und Menschenrechte unbegründet und letzten Endes destruiert würden. Denn ein Wesen, das nur ein Produkt der natürlichen Evolution ist, kann keine absoluten Rechte und Pflichten haben. In dem Sinn ist die aktuelle Negation der metaphysischen Seele Europas etwas, was die Idee Europas selbst (gemessen an seinem ursprünglichen Sinn) fragwürdig macht.

Zusammen mit den Anstrengungen, die metaphysische Seele Europas zu erwecken, gehen auch die Anstrengungen, die die Überwindung der Kluft zwischen Glauben und Vernunft zum Ziel haben, einer Kluft, die durch Konfrontation von Glauben und Vernunft in der Neuzeit entstanden ist. Die kroatischen Christen, die die ganze Tragik der durch diese Kluft entstandenen ideologischen Auseinandersetzungen erlebt und erlitten haben, sind dem Hl. Vater sehr dankbar, wenn er auf diesen Aspekt der europäischen Einigung hinweist. Sie sind aber auch sehr empfindsam für jedes Zeichen einer Wiedererwekkung der alten ideologischen Konfrontationen, deren Erscheinen in Kroatien in letzter Zeit keine Seltenheit sind.

3) Europa ist auch Heimat der Idee der Gerechtigkeit, wie auch der fundamentalen Werte, wie Persönlichkeit, Individualität, Freiheit, Solidarität, Subsidiarität usw. Diese Ideen und Werte haben ihre Wurzel nicht nur in der europäischen Philosophie, sondern auch in der christlichen Offenbarung. Ein Europa, das sich selbst treu bleiben will, muss auch diesen Werten treu bleiben. Das heißt, dass ein Europa, das sich nur auf Prinzipien wie Markt, Leistung, Konkurrenz und Konsum stützen würde, seiner tiefsten Seele untreu wäre. Mit anderen Worten, das neue Europa muss eine Heimat der freien, kreativen Persönlichkeiten sein, und eine Heimat, in der Werte wie Gerechtigkeit, Barmherzigkeit, Menschenwürde, Solidarität und Subsidiarität weiterhin den höchsten Rang haben. Ob das so sein wird, hängt nicht zuletzt von den europäischen Christen ab.

Schlussbemerkungen

Ich hoffe, dass aus dem Gesagten die aktuelle europäische Perspektive in Kroatien klar ersichtlich wurde. Vor allem kann man feststellen, dass sich die Kroaten intensiv mit dem neuen Europa beschäftigen. Dabei wissen sie genau, was sie wollen. Das ist an erster Stelle, möglichst bald in das neue Europa sich integrieren zu können, und um keinen Preis in irgendwelche balkanischen Integrationen eingehen. Sie wissen auch, dass sie, als Bedingung für ihre Integration in Europa bestimmte demokratische und wirtschaftliche Standards erreichen müssen. Ebenso sind sie sich ihrer Aufgabe bewusst, die sich aus der Tatsache ergibt, dass sie an der Grenze zu anderen Balkan-Staaten, und damit zur Orthodoxie und zum Islam, leben. Aber sie wollen diese Aufgabe als Mitglied der Europäischen Union erfüllen, nicht aber als Mitglied der Union der Balkan-Staaten.

Im Hinblick auf die innere Einrichtung des gemeinsamen europäischen Hauses wünschen sie, dass dieses Haus nicht nur auf den Prinzipien Wirtschaft, Markt und Politik beruht, sondern auch auf Werten der Freiheit, Gerechtigkeit, Solidarität, Subsidiarität, und auf tiefen religiösen und metaphysischen Wahrheiten, die die europäische Geistes- und Kulturgeschichte seit Anfang geprägt und gebildet haben. Aus kroatischer Sicht hat Europa seine Perspektive in dem Maß, als es seiner Identität treu bleibt, die eine Identität der Wissenschaft und Technologie, aber auch der geistigen Werte, der Metaphysik und Religion, als auch des Dialogs und partnerschaftlichen Austausches des Gebens und Empfangens ist. Ohne Wiederentdeckung seiner geistigen Wurzel ist die Zukunft der europäischen Integration sehr fragwürdig.

Arbeitslosigkeit bedroht die Menschen in der nordmährischen Region

von Eva Sotoniaková

Im Zusammenhang mit dem zentralen Thema unserer Tagung möchte ich über die Chancen und Probleme in einem kleinen Teil des neuen Mitteleuropa sprechen – nämlich von Nordmähren. Zu den Chancen dieser Region gehört sicher die Existenz der Euroregionen auf diesem Gebiet, zu den Problemen möchte ich dann besonders auf das Problem der Arbeitslosigkeit in diesem Winkel der Republik hinweisen. Zum Schluss erwähne ich die Aussichten in die Zukunft.

1. Chancen im Nordosten der Tschechischen Republik

Euroregionen sind Gebiete der Zusammenarbeit an den Staatsgrenzen von zwei oder mehreren Staaten, die aufgrund eines Vertrages entstanden sind.[52] Es handelt sich vor allem um die wirtschaftliche Zusammenarbeit, die Entwicklung der Infrastruktur, den Umweltschutz, kulturbildende Tätigkeit und Touristik. Auf der regionalen Ebene unterstützen die Euroregionen alle Aktivitäten, die zum Beitritt zur Europäischen Union führen. Die Europäische Union unterstützt im Rahmen ihrer Regionalpolitik diese Entwicklungsprogramme durch die Initiative INTERREG. In der Tschechischen Republik ist es das Programm CBC Phare. Und so sind auch die Euroregionen bei uns entstanden. Z. Z. existieren in der Tschechischen Republik 10 Euroregionen, davon 4 im Nordostmähren. Konkret handelt es sich um Euroregion Beskiden, Altvater, Silesia und Teschener Schlesien, die übrigen Euroregionen sind Euroregion Egrensis, Glacensis, Erzgebirge, Elbe, Neiße und Böh-

---

[52] http://www.rdaova.cz/RIS/

merwald. Hier möchte ich kurz die 4 Euroregionen in Mähren vorstellen:

Euroregion Beskiden:
Sie ist am 9. Juni 2000 entstanden. Sie ist geschichtlich die erste Euroregion aus 3 postkommunistischen Ländern – nämlich aus der Tschechischen Republik, Polen und der Slowakei. Das Zentrum auf der tschechischen Seite ist in Frýdek-Místek, in Polen ist es in Bielko-Biała und in der Slowakei ist es die Stadt Žilina. Zu den Aufgaben und Zielen der Zusammenarbeit gehören der Austausch der Erfahrungen und Informationen auf dem Arbeitsmarkt, die Lösung der gemeinsamen Probleme im Verkehr, in der Umweltschutz, die Entwicklung der Touristik und des Reiseverkehrs und die Sorge um die gemeinsame kulturelle Erbe. Die Euroregion unterstützt auch auf der regionalen Ebene alle Aktivitäten, die zum Beitritt der Tschechischen Republik, Polens und der Slowakei in die Europäische Union führen.

Euroregion Altvater:
Sie befindet sich in der Tschechischen Republik auf dem Gebiet der Landkreise Bruntál und Jeseník und auf dem polnischen Gebiet ist es ein Teil Schlesiens Oppeln. Euroregion Altvater ist am 9. Oktober 1998 entstanden. Der Sitz der Euroregion auf der tschechischen Seite ist die Stadt Bruntál und auf der polnischen Seite die Stadt Prudnik. Zu den Zielen der Zusammenarbeit gehören die Entwicklung der Wirtschaft, des Handels und der Dienstleistungen, Touristik, Sport und Erholung, Bildung, Kultur und zwischenmenschliche Beziehungen.

Euroregion Silesia:
Sie ist am 20. September 1998 in Opava (Troppau) entstanden. Der Sitz der Euroregion bei uns ist die Stadt Opava und in Polen ist es die Stadt Racibórz. Im Rahmen der gemeinsamen Tätigkeiten ist es besonders die Teilnahme an den internationalen Projekteams im Rahmen des Programms PHARE: CREDO, PARTNERSHIP und CBC. Es handelt sich vor allem um die Ko-

ordinierung der wirtschaftlichen, sozialen und kulturellen Entwicklung des Gebietes.

Euroregion Teschener Schlesien:
Der Vertrag über die regionale Zusammenarbeit wurde am 22. April 1998 unterschrieben. Der Sitz auf der tschechischen Seite ist die Stadt Český Těšín und auf der polnischen Seite die Stadt Cieszyn. Zu den Aufgaben der gegenseitigen Zusammenarbeit gehören der Austausch der Erfahrungen und Informationen bei der Entwicklung der Region, der Austausch der Erfahrungen und Informationen auf dem Arbeitsmarkt, die Lösung der gemeinsamen Probleme der Ökologie und der Umweltschutz, die Zusammenarbeit zwischen den Schulen und der Jugend auf dem Gebiet der Euroregion und ähnliche.
Mit der Vorstellung der einzelnen Euroregionen wollte ich auf die gegenwärtigen Chancen unserer Region hinweisen.

2. Probleme im neuen Mitteleuropa – die Arbeitslosigkeit

Die Problematik der Arbeitslosigkeit in der Tschechischen Republik: Als Einleitung in dieses schwierige Thema möchte ich eine kurze Übersicht über die Arbeitslosenquote im Rahmen der Tschechischen Republik machen:

Die Arbeitslosenquote zum 31.12.2001:[53]

Tschechische Rep. 8,9%	Die niedrigste A.	Die höchste A.
Prag - West	2,5%	
Prag - Ost	2,9%	
Prag	3,4%	
Most		21,3%
Karviná		18,0%
Louny		17,2%

[53] http://www.mpsv.cz/

Teplice		16,6%
Bruntál		16,5%
Chomutov		16,4%
Ostrava		16,2%

In der ganzen Republik befinden sich insgesamt 77 Bezirke, davon die Bezirke aus unserer Region befinden sich auf den ersten Stellen, was die Arbeitslosenquote betrifft.

Die Stellung unserer 6 Bezirke:[54]

	Bezirk	Arbeitslosenquote
2.	Karviná	18,0%
5.	Bruntál	16,5%
7.	Ostrava	16,2%
10.	Frýdek-Místek	13,8%
15.	Nový Jičín	12,8%
21.	Opava	11,3%

3. Die Ausnahmestellung unserer Region im Problem der Arbeitslosigkeit – Mährischschlesischer Bezirk

Wie es sich schon aus den statistischen Angaben ergibt, nimmt unsere Region – also der Mährischschlesische Bezirk – im Problem der Arbeitslosigkeit wirklich eine Ausnahmestellung. Diese Behauptung möchte ich jetzt mit der kurzen Vorstellung der einzelnen Kreise unseres Bezirks beweisen und besonders auf die Licht- und Schattenseiten in bezug auf den Arbeitsmarkt hinweisen.

[54] http://www.mpsv.cz/

Arbeitslosenquote im Mährischschlesischen Bezirk zum 31.12.2001:[55]

Kreis	ARBEITSLOSENQUOTE
Bruntál	16,5%
Frýdek-Místek	13,8%
Karviná	18,0%
Nový Jičín	12,8%
Opava	11,3%
Ostrava	16,2%
Mährischschlesischer Bezirk	**15,1%**

Kreis Bruntál:[56]

Er befindet sich im Nordosten der Tschechischen Republik und ist als industrie-landwirtschaftliches Gebiet charakterisiert. Die Menschen arbeiten hier am meisten in der Industrie (Textil-, Hütten-, Maschinenbau- und Holzindustrie). Die Lage an den Grenzen zu Polen und gebirgige Landschaft bieten nicht günstige Bedingungen zur Besiedlung. Trotzdem setzt man Hoffnungen auf die neuen Programme zur Schaffung der neuen Arbeitsplätze auf dem Gebiet NUTS II und auch auf die Unterstützung der unternehmerischen Aktivitäten, auch aus Ausland. Hierher kehren mehrere Landsleute aus Deutschland zurück, die hier im Sudetenland einst gelebt haben.

Kreis Frýdek-Místek:[57]

Er gehört zu den östlichsten Kreisen der Tschechischen Republik. Es ist besonders ein Gebiet mit der Schwerindustrie (Metallurgie und Bergwesen). Zur Besonderheit dieses Gebietes gehören die nationalen Minderheiten, die hier konzentriert leben. Es sind die Polen – sie bilden ca. 9% der Bevölke-

---

[55] http://ot.uradprace.cz/nezamest/kraj.htm
[56] http://www.up-bruntal.cz/Analyza/vyr01pol.htm
[57] http://fm.uradprace.cz/mpsv.www.upfm.cz/Ev

rung und die Slowaken – sie bilden ca. 4% der Gesamtbevölkerung auf diesem Gebiet.
Zu den Lichtseiten dieses Kreises gehören die langjährige Tradition in vielen Industriezweigen, großes Potential der billigen Arbeitskraft, die Nähe der für Touristen attraktiven Beskiden. Zu den Schattenseiten gehören die große Konzentration der Schwerindustrie, die Unstrukturierung dieser Schwerindustrie, Mangel an Investitionen, Mangel an soziale Einrichtungen, niedrige Qualifizierung des großen Teiles der Arbeitskraft, die Entfernung der Region von den europäischen Autobahnen.
Das Arbeitsamt in Frýdek-Místek nimmt an einem Projekt des Programmes PHARE teil, und zwar am Projekt PALMIF. Das Ziel dieses Projektes ist die Schaffung der neuen Arbeitsplätze. Bis heute wurden aus den finanziellen Mitteln der Europäischen Union 140 neue Arbeitsplätze gebildet. Das kostete bis heute ca. 230 000 Euro.
Das Arbeitsamt nimmt auch an einem weiteren Projekt der Europäischen Union teil, und zwar am Projekt TELM – es handelt sich um die Vorbereitung auf den europäischen Arbeitsmarkt. Hier arbeitet man im Rahmen des Programms LEONARDO besonders mit den ausländischen Partnern aus Großbritannien, Spanien und Frankreich zusammen.

Kreis Karviná:[58]

Zu den Lichtseiten dieses Kreises gehören die Grenze mit Polen und so der potentielle Markt, die Nähe des Gebirges Beskiden, die billige Arbeitskraft.
Zu den Schattenseiten gehören Luft- und Wasserverunreinigung als Folge der Schwerindustrie, der Gesundheitszustand der Bevölkerung ist nicht gut – hier ist eine hohe Sterblichkeit. Für die unternehmerischen Aktivitäten ist dieses Gebiet nicht lockend – besonders wegen der ungünstigen ökonomischen Lage und dem Mangel an Investitionskapital.

[58] http://www.ssz.mpsv.cz/up/ka/trhprace/anal2001/stranky_okresu.htm

Kreis Opava:[59]
Dieses Gebiet gehört zu den landwirtschaftlich-industriellen Gebieten. Der Kreis teilt sich in 3 Gebieten:
- das Gebiet rund um die Kreisstadt Opava – hier ist die Industrieproduktion konzentriert und hier sind auch die Bedingungen für landwirtschaftliche Produktion gut,
- das Gebiet rund um die Stadt Hlučín,
- das Gebiet rund um die Stadt Vítkov – charakteristisch sind hier die niedrige Bevölkerungsdichte und wenig Industrie.

Kreis Ostrava:[60]
Das Gebiet mit der Kreisstadt Ostrava (es ist die drittgrößte Stadt der Republik) gehörte in der Vergangenheit zu den bedeutendsten Gebieten mit der Schwerindustrie. Es waren besonders Metallurgie, Bergwesen und Stahlindustrie. Z. Z. kommt zur Umstrukturierung der Schwerindustrie, was man an der sehr hohen Arbeitslosenquote in diesem Kreis sieht. Man schätzt, dass wir die Folgen besonders in den Jahren 2002 – 2004 sehen werden. Die Lage ist jetzt sehr schwierig, z. B. auf einen Arbeitsplatz kommen hier fast 36 Menschen vor.

4. Zukunftsaussichten

Für die erste Hälfte des Jahres 2002 setzt man auf dem Gebiet der Arbeitslosigkeit diese Entwicklung voraus:[61]
Zu den negativen Faktoren zählt man:
- vor allem weitere Entlassung in den Hüttenbetrieben, besonders in der Aktionsgesellschaft Nová huť
- Reduktion der Angestellten in der Aktionsgesellschaft Trall Vagónka Studénka
- Zu den positiven Faktoren zählt man:

[59] http://op.uradprace.cz/okres.htm
[60] http://ot.uradprace.cz/nezamest/welcome.htm
[61] Htt://ot.uradprace.cz/kraj/KR-VI.htm

- Mögliche Erscheinung der neuen Investoren, besonders aus dem Ausland, in die vorbereiteten Industriezonen, z. B. Nová Pole im Kreis Karviná, Červený dvůr im Kreis Bruntál und Unternehmerpark Kopřivnice im Kreis Nový Jičín
- Aktualisierung des Regionalprogramms der Unterstützung der Entwicklung der unternehmerischen Industriesubjekte auf dem Gebiet NUTS 2 Nordwest und Ostrava
- Ab Frühling wird der Saisoneffekt im Bauwesen, Landwirtschaft, Forstwesen und in den Dienstleistungen wirken.

Mit diesem Beitrag wollte ich auf die Chancen und Probleme in einem kleinen Teil des neuen Mitteleuropa hinweisen.

Zur gesellschaftlichen Situation in der Slowakei
Soziologische Analyse und ethische Bewertung

von Dominika Alžbeta Dufferová

Einleitung

Die pastorale Tätigkeit können wir auch als ein soziologisches Phänomen analysieren. "Pastoral" kommt etymologisch von "Pastor" – Bischof oder Priester – Garant des Glaubens. Im katholischen Sinn knüpft die Pastoral an die persönliche "spirituelle Begleitung" und an das "spirituelle Amt" (Administration). Die Pastoraltheologie beschäftigt sich auch mit der Frage der Effektivität der Pastoral, hierbei verläßt sie die theologische Spekulation, um Zutritt zur Soziologie der Pastoral zu haben.[62]
Thema meines heutigen Referats ist eine soziologische Übersicht über die Situation in der Slowakei und ihre ethische Bewertung. Ich konzentriere mich auf vier Punkte: die Religiosität, den Transformationsprozess des Landes, die Arbeitslosigkeit der Jugend und die Romas.

A. Soziologische Übersicht der Slowakei in vier Punkten

1. Die Religiosität in der Slowakei in europäischer Perspektive

JÁN BUNČÁK, INHABER DES LEHRSTUHLS FÜR SOZIOLOGIE AN DER COMENIUS-UNIVERSITÄT IN BRATISLAVA, HAT EINE WERTVOLLE UND INTERESSANTE STUDIE ÜBER DIE RELIGIOSITÄT IN DER SLOWAKEI IN EUROPÄISCHER PERSPEKTIVE VERFASST. ER STÜTZT

---

[62] Vgl. PAVEL AMBROS: *Sociologické a teologické přístupy v pastorální teologii.* S. 28. In: Studia Theologica 3, jaro 2001, ročník III, číslo 1, Obmouc: Univerzita Palackého v Olomouci, 2001, S. 28-35. ISSN 1212-8570

SICH (ER REKURRIERT) AUF DIE FORSCHUNGEN VON MIKLÓS TOMKA UND PAUL-MICHAEL ZULEHNER, DIE IN DEM BUCH "*GOTT NACH DEM KOMMUNISMUS*" VERÖFFENTLICHT SIND.

Es geht um die Analyse der letzten zehn Jahre der Entwicklung der Religiosität nach der Wende. Seine Schlußfolgerung lautet: "Die Entwicklung der vergangenen zehn Jahre zeigt eine klare Richtung von einem antireligiösen hin zu einem proreligiösen sozialen Klima. Es ist wichtig, zu betonen, dass die weitere Entwicklung dieser Tendenz keineswegs garantiert ist." Dazu kommt noch ein wichtiger Satz: "Diese Tendenz kann gerade durch die Nichtbewältigung des Konfliktes zwischen religiöser Tradition und sozialer Modernisierung gefährdet sein."[63]

Die Daten der genannten Studie wurden aus EVS (European Values Study) 1991 und 1999 und ISSP Religion (International Social Survey Programm) 1998 entnommen, interpretiert und miteinander verglichen.

Nach der Wende war in der Slowakei die öffentliche Diskussion über die Position der Kirche in der Gesellschaft von größter Bedeutung. Neben der technischen Erneuerung und dem wirtschaftlichen Neuaufbau war es wichtig, das politische System zu ändern und die Kultur des Landes neu aufzubauen.[64] Wie verlief die Entwicklung der Religiosität in der Slowakei nach der Wende? Wo ist sie im Kontext der anderen europäischen Länder?

M. Tomka und P.-M. Zulehner teilen die Länder in Bezug auf den religiösen Glauben in drei Gruppen ein: a) katholische Länder mit einer Minderheit der Bekenntnislosen (in dieser Ländergruppe befindet sich die Slowakei an fünfter Stelle [nach Polen, Kroatien, Litauen, Slowenien und vor Ungarn] mit 57 % Angehörigen der römisch-katholischen Kirche, 4 % An-

---

[63] JÁN BUNČÁK: *Religiozita na Slovensku a v európskom rámci.* S. 69. In: Sociológia 1, ročník 33, Bratislava: Sociologický ústav SAV, 2001, S. 47-69. ISSN 0049-1225

[64] D. Bell teilte die Gesellschaft nach der Wende auf vier Bereiche ein: technischer, ökonomischer, politischer und kultureller Bereich. Zu letzteren gehören die Bereiche der Kirche, der Weltanschauung und der Religion. Vgl. BELL; D.: *Kulturní rozpory kapitalismu.* Praha: SLON 1999, S. 37. In: J. BUNČÁK: *Religiozita na Slovensku a v európskom rámci.* S. 47.

gehörigen der griechisch-katholischen Kirche, 1 % Orthodoxen, 9 % Protestanten 1 % Andere und 28 % Bekenntnislosen)[65], b) orthodoxe Länder mit anderen religiösen Minderheiten oder einem signifikanten Prozentanteil der Bekenntnislosen (Rumänien, Ukraine) und c) Länder mit einer Mehrheit der Bekenntnislosen (ehemalige DDR, Tschechien). (Vgl. Tomka, Zulehner, 1999, 11-12)

Die Kirchenzugehörigkeit in der Slowakei zwischen 1990-1991 und 1999 ist von 71 % auf 77 % gestiegen, davon zur katholischen Kirche von 58 % auf 59 %. Nach EVS 1991 und EVS 1999 sieht die Zugehörigkeit zu den Kirchen in der Slowakei so aus:

Tabelle Nr. 1: Zugehörigkeit zu den Kirchen in der Slowakei

Kirche	1991	1999
Römisch-katholisch	58	59
Evangelisch	7	9
Griechisch-katholisch	3	5
Andere christliche	2	2
Orthodoxe	1	1
Andere Religionen	0	1
Keine oder unbeantwortet	29	23

Es ist interessant zu beobachten, dass bei der Selbstdeklaration als Gläubiger oder Atheist in diesen Jahren die Gruppe der Unentschiedenen und der Gleichgültigen sich verkleinerte. Ján Bunčák versteht dies vor allem "als einen Ausdruck von sozialem Konformismus." (Vgl. J. Bunčák, 2001, S. 56). Diese Hypothese wurde von ihm bewiesen. (Vgl. Basiskonklusionen, S. 68) Die Leute deklarieren sich als Gläubige oder Nichtgläubige, wie es man aus den Daten[66] von EVS 1991 und EVS 1999 ersehen kann:

---

[65] Die letzte Volkszählung 2001 in der Slowakei zeigt bzgl. der Gläubigen eine noch etwas steigende Tendenz.
[66] JÁN BUNČÁK: *Religiozita na Slovensku a v európskom rámci.* S. 56.

Tabelle Nr. 2: Gläubig und Nichtgläubige in der Slowakei

	1991	1999
Gläubige	69	77
Nichtgläubige	16	13
Überzeugte Atheisten	3	4
Wissen es nicht	12	6

Eine wichtige Dimension der Religiosität in der Slowakei ist die Teilnahme am Gottesdienst, die im Vergleich zu 1991 markant zunahm. Die Gruppe derjenigen, die am Gottesdienst einmal oder mehrmals pro Woche am Gottesdienst teilnehmen, ist um 9 % gestiegen (1991: 32 %; 1999: 41 %). Die Kirchlichkeit der Gläubigen nahm in der Gruppe der "Leute der Kirche"[67] von 5 % auf 11 % zu. Wenn wir dies vergleichen zwischen den Katholiken und den Protestanten in der Slowakei, sieht es so aus:

Tabelle Nr. 3: Verbindung mit der Institution der Kirche in der Slowakei: Katholiken und Protestanten[68]

	1991	1991	1999	1999
	Katholiken	Protestanten	Katholiken	Protestanten
Leute der Kirche	16	20	20	30
Passive	42	25	47	20
Am Rand der Kirche	42	55	33	50

[67] Nach L. Halman sind die "Leute der Kirche" diejenigen, die positiv auf die Frage der Zugehörigkeit zur Kirche antworten, mindestens einmal pro Monat am Gottesdienst teilnehmen und gleichzeitig zu einer religiösen oder kirchlichen Organisation gehören. Die "Passiven" sind nach ihm diejenigen, die nur die ersten zwei Bedingungen erfüllen. Zur Gruppe der Leute "am Rand der Kirche" gehören nach ihm diejenigen, die sich zwar als Gläubige bezeichnen, allerdings nur ein- oder zweimal pro Jahr zum Gottesdienst gehen und nie Mitglieder einer kirchlichen Organisation waren oder sind. In: JÁN BUNČÁK: *Religiozita na Slovensku a v európskom rámci.* S. 59.

[68] Vgl. EVS 1991 und EVS 1999 In: JÁN BUNČÁK: *Religiozita na Slovensku a v európskom rámci.* S. 61.

Die Protestanten in der Slowakei haben mehr "Leute der Kirche" als die Katholiken. In 1991 waren sie um 4 % und in 1999 um 10 % mehr. Die Protestanten haben auch viel weniger "Passive" als die Katholiken (in 1991 beträgt der Unterschied 17 %, in 1999 27 %). Sie haben allerdings mehr Mitglieder "am Rand der Kirche" (in 1991 um 13 %, in 1999 um 17 % mehr); 1999 waren es 50 %, etwas weniger als 1991(55 %).

Mit diesen Beispielen wollte ich nur einige wichtige Aspekte des religiösen Lebens in der Slowakei aufzeigen.

Ján Bunčák teilt am Ende seiner Studie nach der Typologie von J. und W. Dantine, T. Krobath und H. Ungar[69] die Bevölke-

---

[69] Vgl. JÁN BUNČÁK: *Religiozita na Slovensku a v európskom rámci.* S. 68. Vgl. In: DANTINE, J. – DANTINE, W. – KROBATH, T. – UNGAR, H., 1995: *Evangelisch. Das Profil einer Konfession in Österreich.* Evangelische Akademie Wien, Wien, S. 27-36. Die fünf Gruppen der hier verwendeten Typologie: 1. Der kirchlich religiöse Typ: Jene Gläubigen, die wöchentlich oder mehr, mindestens einigemal pro Jahr an den kirchlichen Aktivitäten teilnehmen. Sie beten täglich. Die Bibel heißt für sie ein lebendiges Gotteswort. Sie meinen, dass Gott sich für alle Menschen persönlich interessiert und dass das Leben nur auf Gott hin einen Sinn hat. Sie glauben an das Leben nach dem Tod, an Himmel, Hölle und religiöse Wunder. (In der Slowakei bilden ? dieser Gruppe die Frauen; der Altersdurchschnitt dieser Gruppe beträgt 45,7 Jahre; 55 % dieser Gruppe lebt in Dörfern mit weniger als 5 000 Einwohnern, 31 % in Städten mit mehr als 20 000 Einwohnern; die Meinung, dass die Slowakei ein besseres Land wäre, wenn die Religion weniger Einfluß hätte, wird von 73 % nicht geteilt; 48 % sind der Meinung, dass die Kirchen eine angemessene Macht haben, 37 % wünschen eine noch stärkere Macht der Kirchen). 2. Der traditionell religiöser Typ: Jene Gläubigen, die wöchentlich oder öfter die Kirche besuchen, nur ein- oder zweimal pro Jahr an anderen kirchlichen Aktivitäten teilnehmen, die täglich beten. Normalerweise verstehen sie die Bibel als ein von Gott inspiriertes Buch, das man aber nicht in allem wörtlich nehmen müsse. Sie sind nicht so strikt der Meinung, dass Gott sich für jeden Menschen persönlich interessiere, und sie sind sich auch nicht ganz sicher in der Frage, ob der Sinn des Lebens nur von der Existenz Gottes abhängt. Sie glauben an das ewige Leben, aber nicht ganz, sie glauben mehr an den Himmel als an Hölle und religiöse Wunder. (In der Slowakei bilden 58 % dieser Gruppe die Frauen, der Altersdurchschnitt dieser Gruppe beträgt 40,7 Jahre; 47 % wohnen in Dörfern, 34 % in größeren Städten. 60 % meinen, aber nicht so stark als die erste Gruppe, dass die Slowakei ein besseres Land wäre, wenn die Religion einen größeren Einfluß hätte; 62 % sind der Meinung, dass die Kirchen eine angemessene Macht haben. Nur 14 % glauben, dass die Kirchen eine zu kleine Macht haben). 3. Der liberal reli-

giöse Typ: Jene Gläubigen, die normalerweise die Kirche nur einigemal pro Jahr besuchen, nie an den kirchlichen Aktivitäten teilnehmen, nur einigemal pro Jahr beten. Meistens ist die Bibel für sie nur ein uraltes Buch mit Legenden, Geschichten und sittlichen Belehrungen, die der Mensch dort hineingeschrieben hat. Die Frage, ob Gott sich für alle Menschen persönlich interessiert, ist für sie gleichgültig. Gleichgültig ist für sie auch die Frage ob das Leben nur durch die Existenz Gottes einen Sinn hat. Sie "glauben mehr" an ein Leben nach dem Tod und "weniger" an Himmel, Hölle und religiöse Wunder. (51,4 % der Frauen repräsentieren diese Gruppe in der Slowakei; der Altersdurchschnitt dieser Gruppe beträgt 38,8 Jahre; 48 % von ihnen leben in Dörfern, 40 % in größeren Städten; für 44 % ist die Frage, ob die Slowakei ein besseres Land wäre, wenn die Kirchen einen größeren Einfluß hätten, gleichgültig oder sie wissen es nicht, 27 % glauben es, im Gegensatz zu 29 %, die nicht glauben, dass die Slowakei ein besseres Land wäre unter Voraussetzung eines kleineren Einflusses der Kirchen. 54 % meinen, dass die Kirchen eine angemessene Macht haben, 27 % sind der Meinung, dass die Kirchen einen etwas überdurchschnittlichen Einfluß haben). 4. Der religiös gleichgültige Typ: Jene, die nur selten den Gottesdienst besuchen und nie an den sonstigen Aktivitäten der Kirche teilnehmen. Sie beten nie. Sie meinen, die Bibel sei ein uraltes Buch von Legenden, Geschichten und sittlichen Belehrungen, das vom Menschen verfaßt wurde. Ob Gott sich für alle Menschen persönlich interessiert, ist für sie meistens gleichgültig. Sie sind nicht einverstanden mit der Meinung, dass das Leben, nur weil Gott existiert, einen Sinn hat. Auf die Frage, ob sie an das Leben nach dem Tod, an Himmel und an Hölle glauben, gaben die meisten dieser Gruppe zu Antwort: "fast nicht". An religiöse Wunder glaubt man in dieser Gruppe überhaupt nicht. (In der Slowakei bilden diese Gruppe die Männer. Der Altersdurchschnitt dieser Gruppe beträgt 35,4 Jahre. 42 % leben in Dörfern, 39 % in Städten. In den meisten Fällen können die Befragten dieser Gruppe die Frage über den Einfluß der Kirchen in der Slowakei nicht beantworten, 43 % denken, dass die Kirchen zu große Macht haben und 42 %, dass sie eine angemessene Macht haben). 5. Der nicht religiöse Typ: de facto sind das die Atheisten. Gewöhnlich besuchen sie nie den Gottesdienst, nehmen sie nie Teil an kirchlichen Aktivitäten und beten sie auch nie. Die Bibel ist für sie nur ein uraltes Buch von Menschen, sie sind nicht der Meinung, dass Gott sich für alle Menschen persönlich interessiert, sie sind auch nicht der Meinung, dass das Leben nur durch die Existenz Gottes einen Sinn hätte. Sie glauben nicht an ein Leben nach dem Tod oder an Himmel, Hölle und religiöse Wunder. (In der Slowakei bilden die Männer die Mehrheit dieser Gruppe, der Anteil der Frauen beträgt 44 %. Durchschnittlich ist diese Gruppe die jüngste, der Altersdurchschnitt beträgt 35 Jahre. 40 % denken, dass die Slowakei ein besseres Land wäre, wenn die Religion weniger Einfluß hätte, für 39 % ist diese Frage gleichgültig oder sie haben dazu keine Meinung, immerhin 21 % verneinen die Frage. Für 43 % dieser Gruppe haben die Kirchen zu große rung der Slowakei ein in zwei fast gleiche Hälften. "Im ersten Teil befinden sich die kirchlich und traditionell religiösen Menschen und im zweiten Teil sind es die liberal religiösen, die religiös gleichgültigen und die nicht religiösen Menschen." Eine wichtige Schlußfolgerung daraus ist: "Die Entwicklung der Religiosität in den Jahren 1991 – 1999 zeigt, dass vor allem der Anteil der religiös gleichgültigen und der liberal religiösen Menschen zunahm." Für die Zukunft kann man erwarten, dass diese Tendenz weiterer Modernisierung der Gesellschaft noch vertieft werden wird. Das Problem der Koexistenz der religiös traditionellen Gruppen bringt mit dem erwarteten Prozeß der europäischen Integration eine wichtige Aufgabe für die großen institutionalisierten Kirchen der Slowakei mit sich: Vorbereitung der eigenen Strategien der sozialen Modernisierung.

2. Ausgewählte Probleme der Transformation in den neunziger Jahren

Zum Thema der Transformation der sozial-räumlichen Situation der Slowakei gibt es sehr viele wissenschaftliche Analysen. Sie spiegeln trotz aller Spezifika immer wieder die Ereignisse und Verwirrungen des Prozesses der Transformation der Gegenwart genau wider. Die Basis der folgenden Überlegungen ist das Referat von Peter Gajdoš[70] von der Akademie der Wissenschaften der Slowakei in Bratislava. Eine der wichtigsten Fragen dieser Studie ist, ob und warum der Prozeß der Transformation mehr zu einer Polarisation als zu einer Stabilität führte.

Die neunziger Jahre bedeuteten für die Slowakei einen "Sprung" in die Demokratisierung der Gesellschaft. Viele Än-

---

Macht, nur 38 % von ihnen sucht einen höheren Lebenssinn). Vgl. JÁN BUNČÁK: *Religiozita na Slovensku a v európskom rámci.* S. 63-68.

[70] PETER GAJDOŠ: *K vybraným problémom transformácie sociálno-priestorovej situácie Slovenska v deväťdesiatych rokoch.* In: Sociológia 2, ročník 33, 2001, Bratislava: Sociologický ústav SAV, S. 185-206. ISSN 0049-1225

derungen im sozialen, kulturellen, räumlichen und Umwelt-Bereich bewirkten, dass sich die sozial-räumliche Situation in negativer Hinsicht geändert hat. Ich möchte in wenigen kurzen Sätzen sagen, wie und warum.

a. Spezifika der sozial-räumlichen Situation der Slowakei

Der Verlust des Gleichgewichtes der sozial-räumlichen Situation hat seine Wurzeln und seinen Grund in den Zeiten der industriellen Urbanisation des sozialistischen Typs. Im Prozeß der Transformation hat sich dies noch verstärkt.

Die Spezifika der sozial räumlichen Situation der Slowakei sind vor allem geprägt durch die Bedingungen, die der Staat und seine Institutionen und die öffentlichen Verwaltungen schaffen. Gerade hier, in diesem Bereich zeigen sich die Probleme. Es fehlt vor allem "die Dimension einer strategisch langfristigen Planung und Leitung der Gesellschaft", es dominieren Konzeptlosigkeit und Langsamkeit in der Lösung der Probleme in Regionen und Zentren der gesellschaftlichen Reform. Bis jetzt ist die Reform der öffentlichen Verwaltung nicht beendet, die Kompetenzen zwischen der staatlichen und öffentlichen Verwaltung sind nicht geklärt. (Gajdoš, 186)

Zu den positiven Ereignissen des Prozesses der Transformation gehören die teilweise Dezentralisation der Regierung, eine Verbesserung und Öffnung der öffentlichen Verwaltung für den Bürger, Entwicklung von verschiedenen Organisationen und Vereinigungen, Bildung von Netzwerken zwischen Unternehmen und die Entwicklung des Prozesses der Regionalpolitik.

Die negativen Seiten der Transformation sind, dass die bürgerliche Gesellschaft noch nicht genügend gut funktioniert, dass sich die öffentlichen Aktivitäten reduzieren, die Privatisierung des Lebens zunimmt. Das Bewußtsein der Zusammengehörigkeit ist noch immer zu schwach, ebenso der Sinn der Solidarität. Viele ziehen den Individualismus vor und verfallen dem Konsumismus.

Der Autor kritisiert die Orientierung an der Massenkultur, wobei die Lokalkultur ihren Raum verliert. Die Fragmentation und

Polarisation der Gesellschaft sind oft asynchron, deswegen machen sie die Dynamik der Entwicklung noch schwieriger, und sie schwächen weiter deren Stabilität. Es gibt zwei Grundlinien der Polarisation in der Slowakei:

aa. Die horizontale sozial-räumliche Differentiation

Die horizontale sozial-räumliche Differenzierung ist ein Ausdruck der markanten Auseinanderentwicklung der Regionen. Bis jetzt wurden diese Probleme nicht systematisch gelöst und sie bedürfen einer dringenden Lösung.

ab. Die vertikale sozial-ökonomische Polarisation

Gleichzeitig mit der horizontalen Differenzierung vertieft sich auch die vertikale Polarisation. Diese hat meistens den Charakter einer sozialen Ungleichheit vor dem Hintergrund der demographischen Struktur, der Arbeitslosigkeit und der Migration. Die Gesellschaft teilt sich in zwei ungleiche Gruppen – eine kleine der "Reichen" und eine übergroße derer, die gerade über dem Niveau des Lebensminimums anzusiedeln sind. Immer stärker zeigt sich der Einfluß des Marktes. Von diesen Kräften kann man sicher keine dauernde Entwicklung des Landes erwarten, noch können sie diese garantieren.

Die Situation ist noch komplizierter in den Regionen der Slowakei, wo die Schwierigkeiten beider Grundlinien aufeinandertreffen. (Vgl. Gajdoš, [185-189], 190)

b. Die Konsequenzen der Transformation im Hinblick auf die sozial-räumliche Situation

Die Analyse des Makrokosmos , des Regionalniveaus und des Siedlungsgebietes zeigt die wichtigsten Vor- und Nachteile der

Transformation, sucht und erklärt ihre Quellen. Ich nenne einige Beispiele. Die "Xerox Strategie"[71] hat nicht die erwarteten Effekte gebracht, sie verursachte umgekehrt viele Enttäuschungen, noch mehr Schwierigkeiten der sozialen Situation, besonders den Anstieg der Arbeitslosigkeit und der Armut, die Entstehung und Profilierung der problematischen Gruppen (vor allem der Romas, der Jugend, der älteren Generation, der jungen Familien, der Langzeitarbeitslosen). Auf der mittleren Ebene beobachtet man besonders die Formation der Regionen am Rand der Gesellschaft. In den Siedlungsgebieten zeigt sich zum Beispiel eine intensivere Enturbanisierung.

Als Schlußfolgerung kann ich mit P. Gajdoš sagen, dass der Mangel einer Vision der Entwicklung unserer Gesellschaft nach der Wende und die dauernde Verschiebung einer grundsätzlich systematischen Lösung die heutigen Hindernisse noch vertiefen.

3. Soziologische Reflexion über die Jugendarbeitslosigkeit

Das Spezifikum der Wahrnehmung der sozialen Ausschließung der Jugend durch die Arbeitslosigkeit besteht in den postkommunistischen Ländern darin, dass die Gesellschaft diese Wirklichkeit sozusagen als Ergebnis der Transformation wahrnimmt.[72] Die Arbeitslosigkeit in der Slowakei ist von 12-15

---

[71] L. Mlčoch beschreibt unter "Xerox Strategie" das Kopieren des Westens gleich nach der Wende im Bereich der Marktökonomie. Hierzu hat man die Privatisierung des Kapitals ins Werk gesetzt, ohne dass dies ein gutes Ergebnis ergab. Vgl. MLČOCH; L., 1997: *Zaostřená vize ekonomické transformace.* Karolínum, Praha. In: PETER GAJDOŠ: *K vybraným problémom transformácie sociálno-priestorovej situácie Slovenska v deväťdesiatych rokoch.* S. 191.

[72] Vgl. MACHÁČEK, LADISLAV: *Sociologické reflexie nezamestnanosti mládeže na Slovensku.* S. 335. In: Sociológia 4, ročník 33, 2001, Bratislava: VEDA – SAV, 2001, S. 335-352. ISSN 0049-1225

% auf 20-22 % angestiegen, es gibt Regionen, wo sie bis 30 % zugenommen hat.[73]

Ladislav Macháček, Soziologe, der sich besonders mit Problemen der Jugend in der Slowakei beschäftigt, Autor von mehreren Studien und Büchern, hat eine interessante Bemerkung zur Frage über die lange Dauer der Transformation gemacht. Er ist nämlich durch sein vom 7. 1. bis 7. 2. 2000 durchgeführtes Forschungsprojekt zu zwei wichtigen Beobachtungen gekommen.

Erstens, die Jugend vermutet, dass die Gesellschaft nicht für sie alle gleichwertige Chancen garantiert und dass die Regierung nicht leistungsfähig und kompetent ist.

Zweitens, deswegen meint die Jugend, dass ihre persönliche Prosperität nicht in Verbindung mit der Prosperität der Slowakei, sondern mit derjenigen Europas gebracht werden muß. (Vgl. L. Macháček, 347)

Was in der Jugendsoziologie wesentlich ist, ist eine rasante und empirisch belegte Kritik der postmodernen Theorien über die Individualität der Jugend. Diese Theorien betonen oft nur die Wichtigkeit der vielfältigen Entscheidungsmöglichkeiten und überbewerten das Individuum. Die Wahlfreiheit im Kontext des freien Marktes kommt nur für jene in Frage, die genügende ökonomische, soziale und kulturelle Möglichkeiten haben.[74] Die Folgen der fehlenden Wahlfreiheit sind verschieden. Traurige Phänomene in diesem Zusammenhang sind, um mit T. Kuure zu sprechen, etwa "schwere Jungs" (Jugendkriminalität) oder "leichte Mädchen" (Prostituierte) am Rand der Gesellschaft mit einer eigenen spezifischen Subkultur und Gesetzen der Belohnung und Bestrafung. Andere Phänomene, die Macháček nennt, sind die "ewigen Studenten", die nie arbeiten werden, oder die "neuen Erlöser" in verschiedenen Sekten, bestimmte Typen von "goldenen Jungen", die gar nicht arbei-

---

[73] Vgl. MACHÁČEK, LADISLAV: *Sociologické reflexie nezamestnanosti...*, S. 346.

[74] Vgl. KUURE, T., 2000: *Making and breaking boarders.* MYRIS 7, Helsinki 7-10 June, p. 17. In: MACHÁČEK, L.: *Sociologické reflexie nezamestnanosti...*, S. 349. 351.

ten müssen und in "Inseln" der gleichaltrigen Freunde ihr Leben ohne Spannungen in Ruhe führen können.

"Heute wissen wir bereits, dass weder die jungen Politologen noch die "Software-Experten", sondern die [sogenannten] "Kinder des Winds" die erste Gruppe in der Slowakei waren, die den Wechsel zum Euro-Bürger hin unternahmen, die die Vorteile des *social-welfare* Systems des integrierten Europa entdeckten."[75]

Zu drei Voraussetzungen der Modernisierung, einen neuen Alphabetisierung (Sprache, Computer und Bürger) möchte L. Macháček noch eine vierte hinzufügen. In Zeiten der Verlängerung des Studiums, der Konsequenzen von Transformation und Globalisierung, ist es sehr wichtig, eine entsprechende Disziplin des Arbeitens zu erreichen. L. Macháček schlägt das Programm "Tranzícia" (Übergang aus der Schule in die Arbeit) vor. Das Programm beginnt mit der Aufgabe der Eltern, ihre Kinder an der Hausarbeit teilnehmen zu lassen. Es liefert weiterhin Angebote für die Arbeit der Studierenden (wie Baťa Junior Achievement); Ziel ist es, mit erneuerter Mobilität im Raum des Vereinigten Europa zu agieren. (L. Macháček, 350)

4. Romas in der Slowakei – soziologische Reflexion

Schon die erste Frage – wie viele Romas gibt es in unserem Land? – ist nicht leicht zu beantworten. Die Romas selber klassifizieren sich in drei Gruppen: entweder deklarieren sie sich als zur Mehrheit der Slowaken oder zur Minderheit der Ungarn oder aber zur eigenen Gruppe der Romas gehörig. Soziologisch gibt es eine Schätzung, die von den Daten des Jahres 1980 ausgeht und die eine optimale Obergrenze von 379.000 Romas für das Jahr 2000 angibt. Mit höchster Wahrscheinlichkeit jedoch bewegte sich diese Zahl zwischen 360.000 und 365.000. Es gibt Schätzungen, die von 500.000 bis 800.000 Romas in der Slowakei sprechen, die aber nach

[75] MACHÁČEK, L.: *Sociologické reflexie nezamestnanosti...*, S. 349.

Boris Vaňo[76] überhaupt nicht realistisch sind. Wenn heute 500.000 Romas in der Slowakei leben, dann wäre ihr durchschnittlicher Zuwachs pro Jahr in den letzten 20 Jahren 13.000 Personen. In der ganzen Slowakei war in denselben Jahren der Zuwachs nur 20.300, das heißt, auf einen Nicht-Roma kommen zwei Romas. Für höhere Schätzungen ist ein Kommentar überflüssig.

Die Situation der Romas in der Slowakei bietet ein spannendes Material für alle Bereiche der Sozialwissenschaften. Die Soziologen haben vieles dazu zu sagen. Róbert Roško hat in seinem Beitrag zur Diskussion im Seminar des slowakischen Helsinki Komitees im Februar 1994 auf einen Punkt hingewiesen: auf das Problem der Gruppenbildung der Romas. Dieser Punkt ist nach R. Roško "ein soziologisches Problem par excellence, weil man die Soziologie als Lehre über die Gruppenbildung des menschlichen Lebewesens definieren kann."[77] Dann nimmt er kritisch Stellung zu drei theoretischen Hypothesen, mit denen er "in keiner Weise einverstanden" ist. Die vereinfachten Hypothesen lauten: 1. Das Prinzip der bürgerlichen Gleichheit schließt in sich die Ablehnung der Unterschiede der anderen ein. 2. Zur Entwicklung der Bürgergesellschaft brauchen wir keine anderen Gruppensubjekte entwickeln. 3. Die Entwicklung der Romas als Bürger soll man auf ihre Kinder und Familien gründen.

Die drei Prinzipien kann man leider nicht nur unter Bürgern, sondern manchmal auch unter Soziologen feststellen, wahrscheinlich nicht ganz bewußt. Die Leute haben fast eine fixe Idee, dass die Romas nicht als ethnische Gruppe, sondern als Bürger, nämlich als Mitglieder einer staatlich nicht integrierten Gruppe versagen. Gegenüber dieser fixen Ideen sagt jedoch R. Roško, jeder Mensch gehöre zum Gruppenkomplex. Der Staat ist nach ihm nur eine Gruppe unter anderen. Die eigent-

---

[76] Vgl. VAŇO, BORIS: *Odhad počtu Rómov na Slovensku.* S. 510-511. In: Sociológia 5, ročník 33, 2001, Bratislava: SÚ SAV VEDA, 2001, S. 509-512. ISSN 0049-1225

[77] ROŠKO, RÓBERT: *Rómovia a Slovensko – sociologický pohľad.* S. 507. In: Sociológia 5, ročník 33, 2001, Bratislava: SÚ SAV VEDA, 2001, S. 507-508. ISSN 0049-1225

liche Aufgabe der staatlichen Gemeinschaft ist es, die Unterschiede anzuerkennen und die Entwicklung des Staates auf dem Grund der Entwicklung der nichtstaatlichen Gemeinschaften zu verwirklichen. Die staatliche Gemeinschaft soll die einzelnen so bestärken, dass diese formell, rechtlich und kulturell aktive Schöpfer des Staates sein können.

Und weil bei den Romas diese kulturelle und schöpferische Fähigkeit noch wenig vorhanden ist, "ist es nötig, in dieser Hinsicht etwas zu tun". R. Roško sieht hier ein Existenzproblem der Slowakei. Was aber und wie machen? Eine Reihe von Experimenten der Vergangenheit hat bisher nichts zuwege gebracht. Es wäre nicht klug, so etwas zu wiederholen oder ohne Analyse der Ursachen zu verwerfen. "Die Geschichte der Menschheit ist charakteristisch gerade durch die Folge mehrerer erfolgloser Experimente, die man dann ernst analysierte"[78] und zu Folgerungen führte. Auch die dritte Hypothese kann nicht bestehen, weil die fast ausschließliche Familienorientierung leicht ein Hindernis des Bewußtseins der staatlichen Zugehörigkeit sein kann. Im Fall der Romas, aber nicht nur Romas, ist der Übergang von der Familiengemeinschaft zur Gesellschaft nicht automatisch. R. Raško meint nicht, dass die übergroße Abhängigkeit der Romas von ihren Familien ein Vorteil wäre. "Für sie ist es mehr ein Hindernis, das ihnen die Entwicklung innerhalb des eigenen Staates verwehrt." Der Partikularismus der Romas ist eine Barriere, die zur Folge hat, dass sie sich mindestens einhundert Jahre hinter der Entwicklung der Bevölkerungsmehrheit befinden.[79]

B. Ethische Bewertung der Situation in der Slowakei

Man konnte fragen, nach welcher Ethik eine solche Bewertung stattfinden sollte. Sicher nicht nach jener modernen Ethik, die unter dem Einfluß der englischen Empiristen steht, sondern

---

[78] ROŠKO, RÓBERT: *Rómovia a Slovensko – sociologický pohľad.* S. 508.

[79] Vgl. ROŠKO, RÓBERT: *Rómovia a Slovensko – sociologický pohľad.* S. 507-508.

nach einer, die zur sozialen Verantwortung führt. "Ohne den Schritt ins Metaphysische" wäre "eine wahre Sozialethik einfach nicht möglich" und zwar deswegen, weil es "als letzter Grund sozialer Verantwortung, d. h. der gegenseitigen Verbundenheit in einem gemeinsamen, göttlichen Auftrag" allen Menschen als das eine "innewohnende Gewissen" sich erweist.[80]

1. Die Religiosität in der Slowakei

Die Statistik ist nur eine Seite der "wissenschaftlichen" Wirklichkeit, die für uns Menschen zugänglich und gleichzeitig wichtig ist. Die ethische Bewertung auf der anderen Seite ist viel wichtiger als die statistischen Daten. Die ethische Bewertung wäre aber ohne eine methodisch geführte Analyse eine sinnlose Spekulation. Wie kann man die Situation der Religiosität in der Slowakei ethisch bewerten?

Erstens, einige positive Kennzeichnen der neu erworbenen Freiheit: die steigende Zugehörigkeit zu den christlichen Kirchen ist sicher ein Zeichen der wachsenden Sehnsucht nach dem Göttlichen und des Bewußtseins des gemeinsamen Auftrags. Der Prozentanteil der Unentschiedenen oder derer, die "es nicht wissen", ist geringer geworden, ebenso der Anteil der Nichtgläubigen.

Zweitens, eine ausführlichere Analyse dieser Religiosität weist hin auf mehrere Tendenzen und Motivationen der Menschen, die nicht besonders religiös oder ethisch sind. Ein Beispiel hierfür ist die Zunahme religiös gleichgültiger oder liberal religiöser Einstellungen.

Drittens, die von den Soziologen unterstrichene Aufgabe der Bewältigung des Konfliktes zwischen religiöser Tradition und Modernisierung der Gesellschaft scheint auf eine wichtige "menschliche" Aufgabe der Kirchen der Slowakei hinzuweisen,

---

[80] Vg. UTZ, ARTHUR FRIDOLIN: *Sozialethik mit internationaler Bibliographie. I. Teil: Die Prinzipien der Gesellschaftslehre.* Heidelberg, Löwen: F. H. Kerle, E. Nauwelaerts, 1958, S. 68.

müssen sie doch eigene Strategien der gesellschaftlichen Modernisierung vorbereiten.
Viertens, möchte ich auf die "göttliche" Seite der Kirchlichkeit in der Slowakei hinweisen und zwar auf die wichtige Dimension der Religiosität, die in der Teilnahme am Gottesdienst und an den Sakramenten der Beichte und der Kommunion besteht.

2. Die Slowakei als Land der Transformation

Auf die Frage, warum der Prozeß der Transformation mehr zu einer Polarisation als zu einer Stabilität führt, können wir als Ursachen benennen: vor allem das nur schwach entwickelte Bewußtsein der Zusammengehörigkeit, den Mangel an Solidaritätsbewußtsein und an Geduld, den Individualismus, den Konsumismus und die Massenkultur. Die Theologie hat dafür einen besonderen Ausdruck, ein Stichwort: die Sünde.

3. Ethische Bewertung der Jugendarbeitslosigkeit

Die Arbeitslosen leiden im Grunde an sozialer Ausschließung. Da es grundsätzlich um junge Menschen geht, wäre die Situation viel schwieriger, gäbe es de facto keine Auswege von außerhalb des eigenen Heimatlandes. Wenn sie in der Heimat keine Arbeit finden, suchen sie eine Arbeit im Ausland. Neben den gravierenden negativen Seiten dieser Situation sei allerdings auch auf eine durchaus positive Seite hingewiesen: die vielen jungen Menschen, die im Ausland arbeiten oder arbeiteten, bekamen ein tieferes Bewußtsein der Zugehörigkeit zu Europa.

4. Ethische Reflexion über die Romas

Die katholischen Bischöfe der Slowakei haben schon zu Beginn der neunziger Jahre einen Appell an die Ordensgemeinschaften im Hinblick auf die Romas gemacht, zu überlegen, was sie für sie tun könnten. Die Romas sind ein spannendes Thema nicht nur für alle Bereiche der Sozialwissenschaften, sondern auch für die Pastoral und die Ethik. Die Menschen erwarten von der Kirche ein höheres Engagement in diesem Bereich. Die Evangelisation der Romas in der Slowakei ist notwendig. Sie kann dem Partikularismus der Romas, der eine Barriere ist, entgegenwirken. Das Engagement der aktiv gläubigen Christen trägt bei zu einer offenen und entwickelten Gemeinde.

Konklusionen

Aus der breiten Palette der gesellschaftlichen Probleme in der Slowakei ragen vier heraus, die besonders wichtig sind: die Religiosität, die Transformation, die Jugendarbeitslosigkeit und die Minderheit der Romas.

Die Religiosität – Die Slowakei gehört zu den katholischen Ländern Mitteleuropas. Sie nimmt hier die fünfte Stelle ein (nach Polen, Kroatien, Litauen, Slowenien und vor Ungarn).

Eine wichtige Dimension der Religiosität in der Slowakei ist die Teilnahme am Gottesdienst, die in den letzten Jahren markant zunahm.

Nach der Studie von Ján Bunčák ist die Bevölkerung der Slowakei in zwei fast gleiche Hälften eingeteilt: In der ersten Hälfte befinden sich die kirchlich und traditionell religiösen Menschen (Typologie von J. und W. Dantine, T. Krobath und H. Ungar), in der zweiten Hälfte die liberal religiösen, die religiös gleichgültigen und die nicht religiösen Menschen.

Die Entwicklung der Religiosität zeigt, dass der Anteil der religiös gleichgültigen und der liberal religiösen Menschen zunahm. Für die Zukunft kann man eine Vertiefung dieser Tendenz erwarten. Hier kommt der Kirche die Aufgabe zu, ihre eigenen Strategien der sozialen Modernisierung vorzubereiten.

Die Transformation – Die wichtigste Frage, die Peter Gajdoš sich stellt, ist, ob und warum der Prozeß der Transformation mehr zu einer Polarisation als zu einer Stabilität führte.

Der Verlust des Gleichgewichts der sozial-räumlichen Situation hat seine Wurzeln in der Zeit der Industrialisation und Urbanisation des sozialistischen Typs. Im Prozeß der Transformation hat sich dies noch verstärkt.

Die Spezifika der sozial-räumlichen Situation der Slowakei sind geprägt durch die Bedingungen, die der Staat und seine Institutionen und die öffentlichen Verwaltungen schaffen.

Die asynchrone Fragmentation und Polarisation der Gesellschaft erschweren die Entwicklungsdynamik und die Stabilität.

Die Polarisation hat eine horizontale und eine vertikale Dimension. Die horizontale sozial-räumliche Differentiation, Ausdruck der markanten Auseinanderentwicklung der Regionen, bedarf einer systematischen und dringenden Lösung. Die vertikale sozial-ökonomische Polarisation hat den Charakter einer sozialen Ungleichheit (demographische Struktur, Arbeitslosigkeit und Migration).

Der Mangel einer Vision für die Entwicklung nach der Wende und die dauernde Verschiebung einer grundsätzlichen und systematischen Lösung vertiefen die heutigen Schwierigkeiten.

Jugendarbeitslosigkeit – Die Gesellschaft nimmt diese Wirklichkeit wahr als Ergebnis der Transformation.

Gemäß den Forschungsergebnissen von L. Macháček aus dem Jahre 2000 ist die Jugend der Meinung, dass die Gesellschaft die Chancen nicht für sie alle gleichwertig garantiert und dass ihr persönliches Wohl statt im Rahmen der Prosperitätsentwicklung der Slowakei in demjenigen Europas verwirklicht werden muß.

Romas – Mit höchster Wahrscheinlichkeit gibt es 360.000 – 365.000 Romas in der Slowakei.

Die Situation der Romas ist ein spannendes Thema für alle Bereiche der Sozialwissenschaften wie auch für die Pastoral und die Evangelisation.

Nach R. Roško müssen die drei bewußt oder unbewußt vertretenen falschen Hypothesen abgelehnt worden, nämlich: 1. Das Prinzip der bürgerlichen Gleichheit schließt in sich die Ablehnung der Unterschiede der anderen ein. 2. Zur Entwicklung der Bürgergesellschaft brauchen wir keine anderen Gruppensubjekte entwickeln. 3. Die Entwicklung der Romas als Bürger soll man auf ihre Kinder und Familien gründen.

Interpretation nach R. Roško: Jeder Mensch – auch die Romas – gehört zu einem Komplex von Gruppen. Der Staat ist nur eine Gruppe unter anderen. Die eigentliche Aufgabe der staatlichen Gemeinschaft ist es, die Unterschiede anzuerkennen und seine Entwicklung auch auf der Basis derjenigen der Romas zu verwirklichen. Die staatliche Gemeinschaft soll die Romas so bestärken, dass sie formell, rechtlich und kulturell aktive Schöpfer des Staates sein können.

Literaturverzeichnis

- AMBROS, PAVER: *Sociologické a teologické přístupy v pastorální teologii.* In: Studia Theologica 3, jaro 2001, ročník III, číslo 1, Olomouc: Univerzita Palackého v Olomouci, 2001, S. 28-35. ISSN 1212-8570
- BUNČÁK, JÁN: *Religiozita na Slovensku a v európskom rámci.* In: Sociológia 1, ročník 33, Bratislava: Sociologický ústav SAV, 2001, S. 47-69. ISSN 0049-1225
- GAJDOŠ, PETER: *K vybraným problémom transformácie sociálno-priestorovej situácie Slovenska v deväťdesiatych rokoch.* In: Sociológia 2, ročník 33, 2001, Bratislava: Sociologický ústav SAV, S. 185-206. ISSN 0049-1225
- MACHÁČEK, LADISLAV: *Sociologické reflexie nezamestnanosti mládeže na Slovensku.* In: Sociológia 4, ročník 33, 2001, Bratislava: Sociologický ústav SAV, S. 335-352. ISSN 0049-1225

- ROŠKO, RÓBERT: *Rómovia a Slovensko – sociologický pohľad.* In: Sociológia 5, ročník 33, 2001, Bratislava: Sociologický ústav SAV, S. 507-508. ISSN 0049-1225
- UTZ, ARTHUR FRIDOLIN: *Sozialethik mit internationaler Bibliographie. I. Teil: Die Prinzipien der Gesellschaftslehre.* Heildelberg, Löwen: F. H. Kerle, E. Nauwelaerts, 1958, 520 S.
-VAŇO, BORIS: *Odhad počtu Rómov na Slovensku.* In: Sociológia 5, ročník 33, 2001, Bratislava: Sociologický ústav SAV, S. 509-512. ISSN 0049-1225

Der EU-Beitritt aus polnischer Sicht

von Irena Lipowicz

1. Ein kurzer Rückblick

Auch von unserer Seite ist das ganze Beitrittsverfahren, eine große Reise, die 39 Millionen Menschen nach Westen unternommen haben, eine große Anstrengung, ein Abenteuer das mit vielen Überraschungen verbunden ist. Wenn es um das Thema Beitritt und Erweiterung geht, sprechen alle oft nur von einer großen Last und den Problemen. Die neuen Mitgliedstaaten - klagt man - werden noch nach Jahren die westlichen Standards nicht erreicht haben. Ich stelle mir dann vor, jemand hätte uns, als wir vor Jahren gebetet haben, Gott möge uns vom Eisernen Vorhang und vom Kommunismus befreien, gesagt: "Das geschieht über Nacht und Sie werden dazu keinen Krieg brauchen, alle Ihre Träume werden erfüllt werden". Nicht nur ich hätte das nicht für möglich gehalten. Als wir im Herbst 1980 zu der Überzeugung gekommen sind, dass wir unsere "Imperiums-Zugehörigkeit" nicht mögen und dass wir etwas anderes haben möchten, haben wir zwar mit der "Zivilgesellschaft" die ersten Schritte in diese Richtung gesetzt. Wir handelten aber in der Überzeugung, dass davon vielleicht erst die nächste Generation profitieren kann, wir persönlich nicht. So grundsätzliche historische Veränderungen dauern Jahrzehnte, glaubte man. Vom Westen hat man uns (aus großer Entfernung) geraten sich eher mit dem System zu arrangieren und vor allem ruhig zu bleiben.

Herr Hoffmeister und Herr Pichler sprachen von Prognosen über die Freizügigkeit der Arbeitskräfte. Ich empfehle allen Prognostikern ein wunderschönes, wissenschaftliches Buch von 1988: "Zukunft der Sozialistischen Staaten"[81]. In 15 Referaten konnte man lesen, dass gegen 2015 in Polen, (weil wir so freiheitlich sind), wahrscheinlich eine vorsichtige Demokratisierung stattfinden wird, die sich langsam Richtung Marktwirtschaft bewegen kann. Seit dieser Zeit weiß ich, dass man gegenüber Prognosen immer vorsichtig sein muss. Unsere Wünsche und unsere Träume sind erfüllt: Es gibt keinen Eisernen Vorhang, es gibt in Polen laut Kommissionsbericht 2002 eine funktionierende Marktwirtschaft, es gibt eine Demokratie. Und jetzt merken wir: Auch dieses Leben kann eine schwere Probe sein, nicht für alle sind wir noch in Europa willkommen. Und der Weg bis jetzt war nicht grade leicht gewesen. Wenn man die Meinung von D. Hübner teilt, dass eine "Vision ein Traum plus eine Kapazität" bedeutet, dann war unsere Vision Europa realistisch.

Wir haben allerdings früh diagnostiziert, welche Reformen wir brauchen. Das hat man nicht erst nach der Wende getan, und ich konnte das direkt erleben, als Mitglied des sogenannten Untergrund-Gesetzgebungswerks von Solidarność. Nur ein Teil von Solidarność hat freie Presse gedruckt und hatte "auf Barrikaden gestanden". Viele sind eher dafür verantwortlich, in einem Bereich Gesetze zu schreiben, die für den Fall des Falles aktuell sein sollten. Auf einer schönen Tagung (das war ungefähr 1985), als es noch nicht so ganz willkommen war, darüber nachzudenken, hat man analysiert, was man eigentlich in Polen braucht. Wir haben festgestellt, dass wir eine Wirtschaftsreform, darunter Strukturreformen z.B. für die Kohle- und Stahlindustrie, benötigen, wenn wir in Zukunft ernsthafte Mitglieder der EU (und der NATO) sein wollten. Dann wurde beschlossen, dass man umfassende Verwaltungsreformen, statt der Zentralisierung die Einführung der kommunalen Selbstverwaltung und ein komplett neues Steuersystem braucht. (Damals gab es beispielsweise – was in neuen Bundesländern klar ist – keine direkten Steuern). Man sah, dass

---

[81] Werner Gumpel (Hrsg.), Symposium Die Zukunft der Sozialistischen Staaten, Köln 1988.

so viele Reformen nötig waren dass man in einer Übergangsperiode das Einkommensniveau der Bevölkerung von einem sowieso schon sehr niedrigen Stand noch um 30 % senken wird müssen. Das Ergebnis dieser Konferenz unserer besten Oppositions-Rechtswissenschaftler war ungefähr dieses: "Sehr geehrte Damen und Herren, wir wissen, was zu tun wäre". Es war aber auch klar, dass wenn wir das alles eines Tages tatsächlich machen würden, uns die dankbare Bevölkerung - restlos überfordert – "an den Laternen erhängen" würde. Mit diesem Bewusstsein bin ich und viele meiner Freunde in die Politik gegangen - was ich jedem Politiker nur raten kann. Die Reformen haben ihren hohen Preis und sind - nicht ohne Grund - von vielen Parteien gefürchtet. Die Staaten brauchen die Reformen, aber die Reformer werden für gewöhnlich bestraft.

Selbstverständlich war also der Ausgangszustand nicht einfach. Würde jemand einem anderen eine Firma anbieten, in einem Zustand wie es Polen 1989 war, dann würde das vielleicht doch mit gewissen Problemen verbunden sein. Sie kennen den Zustand der neuen Bundesländer kurz nach der Wiedervereinigung. So war es auch in Polen, nur eben ohne die Garantie, dass eine Milliardenhilfe fließen wird. Aber die Gesellschaft war schon anders. In den letzten zwölf Jahren haben wir die Inflationsrate von 600 % auf 2,2 % gesenkt. In Polen vor zwölf Jahren sind 70 % unserer Waren Richtung Osten exportiert worden. Jetzt exportieren wir 70 % unserer Waren Richtung Westen, in die EU. Polen hat eine wirklich funktionierende Marktwirtschaft bekommen – leider auch mit der Arbeitslosigkeit (18%) die damit verbunden ist, aber gleichzeitig auch ein Zeichen der Strukturveränderungen in der Wirtschaft ist. Niemand konnte uns auch 600 Mrd. Euro bzw. 97 Mrd. die für den Marshallplan vorgesehen waren, garantieren.[82] Die Erweiterung wird jeden EU-Bürger zwischen 10 und 21 Euro kosten, was mit der Marshallplanrate nicht zu vergleichen ist.

---

[82] Vgl. Fortschrittsbericht der Europäischen Kommission vom Oktober, 2002.

Unsere unglaublich geduldige Bevölkerung hat alles mitgemacht. Es ist eigentlich erstaunlich, dass die Populisten nicht schon früher die ersten Erfolge erleben konnten – jede Geduld hat ihre Grenze. Polen hat z.B. die älteste Kohleregion Europas – älter als das Ruhrgebiet – in Oberschlesien mit über 4 Mill. Einwohnern. Ich war dort drei Wahlperioden lang Abgeordnete gewesen, was natürlich mit vielen "Attraktionen" verbunden war, z.B. den betroffenen Menschen sagen zu müssen, dass diese oder jene Grube geschlossen wird. Ich glaube, das war eine gute Vorbereitung für die schweren Entscheidungen, die uns in der EU bevorstehen. Wir haben in diesen zwölf Jahren über 120.000 Bergbauarbeiter aus dem Bergbau entlassen. Haben Sie in diesen zwölf Jahren von irgendwelchen großen Streiks – ich meine nicht von normalen Streiks, die sind ja verständlich – aber von Unruhen, Armeeeingriffen mit Todesopfern, wie das in Großbritannien einmal war, gehört? Dabei konnten wir den Menschen nicht die Abfindungen auszahlen, die in Deutschland möglich sind. Wir haben uns von einem spanischen Beispiel (Andalusien) anleiten lassen, wo das mit viel weniger Geld geklappt hat. Das Beispiel von Pittsbourgh haben wir abgelehnt, weil das für unsere Verhältnisse nicht möglich war - die "natürliche" wirtschaftliche Entwicklung konnten wir nicht abwarten. Die bescheidene Abfindung und die Umschulungen sind die einzigen möglichen Hilfsformen gewesen. Zur Zeit scheint es notwendig, noch weitere 30.000 Arbeiter zu entlassen - die Verhandlungen dauern zwar noch an, die schwerste Arbeit ist aber schon getan.

Wir haben seit der Wende auch sämtliche Nachbarn gewechselt. Stellen Sie sich vor, sie haben sich ein wenig an Ihre Nachbarn gewöhnt. Plötzlich: keine DDR, keine Tschechoslowakei, keine Sowjetunion mehr. (Nur die Ostsee ist standhaft geblieben). Stattdessen haben wir sieben neue Nachbarn, was die Reichweite der Wende gut schildert. Mit allen haben wir ausgezeichnete Beziehungen, (mit Ausnahme vielleicht von Weißrussland, wo die Probleme aber nicht auf unserer Seite liegen, wie man von OSZE – Beobachtern erfahren kann). Mit

Deutschland pflegen wir eigentlich die besten Beziehungen seit tausend Jahren. Die Viadrina-Universität ist ein Symbol dafür. Mit Tschechien und der Slowakei haben wir eine florierende Euroregion und die Freihandelszone CEFTA errichtet. Mit der Ukraine besteht eine strategische Partnerschaft, wir fühlen uns als Advokaten der Ukraine - ihrer Selbständigkeit und des Wohlstands. Das war nach der stürmischen Geschichte beider Länder nicht so einfach. Mit Russland haben wir, solange man von uns im Rahmen der EU-Erweiterung keine exterritorialen Visum - Korridore (Kaliningrad) verlangt - (ein Punkt, in dem wir aus historischen Gründen besonders empfindlich sind), wirklich gute Beziehungen und sind ein verlässlicher und guter Partner der Russischen Föderation. Diesen Teil der politischen Lage möchte ich mit einer Anekdote von Lord Weidenfeld illustrieren. Er erzählte neulich: es stiegen zwei jüdische Professoren in Marokko in ein Taxi. Nach zehn Minuten begannen sie – einer kam aus Australien, der andere aus Amerika – polnisch zu sprechen. Der Taxifahrer fragte, was das für eine Sprache sei, welches Land. Ach, sagten die Professoren, das ist ein Land in Europa – genau zwischen Deutschland und Russland. Der Taxifahrer reagierte darauf: Unglaublich, so eine geographische Lage, was für eine Chance! Wir haben alles dafür getan, dass es jetzt wirklich eine Chance geworden ist.

2. Die Rechtsangleichung als aktuelles Beitrittsproblem

Wie die Beitrittsvorbereitung auf unserer Seite in der Praxis stattfindet, konnte ich zunächst aus Perspektive des Parlaments sehen. Seit wir vor sieben Jahren eine sogenannte EU-Konformitätsklausel eingeführt haben, kann kein Gesetz das polnische Parlament passieren, wenn es vorher nicht durch Experten auf seine EU-Rechtskonformität geprüft worden ist. Das hatten wir auch mit unserer Verfassung so gehandhabt. Das Prüfverfahren betrifft jede Einzelheit, ob wir uns mit Veterinärrecht oder Datenschutz (das ist mein Lieblingsthema) oder mit Wirtschaftsrecht befasst haben. Heute beschäftigen mich vor allem die Probleme der Beitrittsverhandlungen. Es fehlen nur noch 8 Gesetze, dann wird die polnische Gesetzgebung auf Gesetzesebene 100% EU-konform sein, was noch nicht alle EU-Länder erreicht haben. Die Kontrolle der Anwendung, nicht der Verabschiedung ist notwendig. Der Fortschrittsbericht zeigt aber, dass man von uns eine tiefgreifende Strukturreform der öffentlichen Verwaltung verlangt (und bekommt), die auf einer noch nicht bewiesenen These des "Common European Space" beruht und von keinem anderen Kandidaten verlangt wurde.

a) Stahlindustrie

Von all unseren Strukturreformen in der Wirtschaft bleibt noch die Stahlindustrie übrig. In Zeiten, in denen die Vereinigten Staaten hier auch mit Subventionen agieren, sollte man vielleicht ein bisschen abwarten, bevor man mit Steinen in unsere Richtung wirft. Es ist ein gemeinsames europäisches Problem; es wurde jetzt ein Programm dafür entwickelt. Wir müssen ungefähr (noch) 30.000 bis 40.000 Menschen aus diesem Sektor entfernen, aber eben auch neue Beschäftigung schaffen. Wir dürfen es nicht dazu kommen lassen, dass diese alte Industrieregion zusammenbricht. Ganz im Gegenteil, sie ist jetzt zu einer neuen Region von Autoindustrie und von Logistik geworden und soll sich weiterentwickeln. Da haben wir auch vom Luxemburger Beispiel gelernt (von der Stahlindustrie bis zum Bankzentrum). Das Zentrum Stawków - als Anfang der Breitspurkommunikation auf Schiene mit Russland und sogar mit China zeigt uns ganz neue Dimensionen des Transits in Europa. Dieses Zentrum ist auf Basis der Infrastruktur eines Stahlbetriebes entstanden (Huta Katowice). Der Transit von Morgen kann also ganz anders aussehen.

b) Landwirtschaft

Von den grundsätzlichen Strukturreformen ist auch noch die Landwirtschaft geblieben. Aber auch hier muss man im Zuge der Erweiterung zuerst wissen, wohin wir gehen sollen. Auf diese Frage konnte uns die EU – mit allem Respekt – sehr lange nicht antworten. Ich habe noch erlebt, dass man uns Betriebe der Massentierhaltung mit 20.000 Tieren als leuchtendes Beispiel vor Augen stellte. Es wurde einmal ein amerikanisches Projekt abgelehnt, eine Massentierhaltung mit 30.000 Tieren in Polen einzuführen. Obwohl das wirtschaftlich sehr interessant war, hat man das aus ökologischen und moralischen Gründen nicht gemacht. In Zeiten der BSE-Krise würde man heute einen solchen Vorschlag nicht wagen.
Das Nachhaltigkeitsprinzip ist zu einem Verfassungsprinzip geworden.

Eine wichtige strategische Entscheidung betraf jene Million Bauernhöfe, die nie eine Strukturhilfe oder eine Direktzahlung von der EU bekommen werden. Das sind vor allem ältere Menschen und - wirtschaftlich - Selbstversorger; die Kinder dieser Menschen sind längst in der Stadt. Es gab zwei Möglichkeiten: erstens diese Menschen mit verschiedenen ökonomischen Mitteln aus ihren Häusern und kleinen Betrieben wegzubewegen, hinein in Seniorenheime. Nach unseren Überlegungen und dem, was wir von Sozialverwaltung wissen, stirbt ein Mensch, der vom Land kommt, recht bald, wenn er sein Leben lang ein Bauer war und etwa 75 bis 80 ist, wenn wir ihn in der Stadt in ein Seniorenheim stecken. Die Lebenserwartung beträgt dann oft sechs Monate bis anderthalb Jahre. Wir haben uns in der EU auch diese luxuriösen Seniorenheime für 600 Senioren angeschaut (manchmal wunderbare Plattenbauten). Aus diesen Gründen haben wir uns für die zweite Möglichkeit entschieden: Diese Menschen sollen die Möglichkeit haben, dort zu bleiben, wo sie sind. Wenn der Bauer auf dem Land bleibt, Katze und Hund und ein Stück Garten haben kann, wird er durchschnittlich länger leben. Der

Rest der Landwirtschaft soll aber recht bald und gründlich modernisiert werden, was auch geschieht. Es gibt eine Vielzahl von landwirtschaftlichen Betrieben die 600 bis 2000 ha groß sind - der Durchschnitt liegt bei 25 ha, was sehr an Österreich erinnert. 3 Mill. ha. - das sind schon heute Großbetriebe. Man muss diese eine Million Bauernhöfe wirklich aus der Statistik herausnehmen, weil diese Menschen aus unserer Sicht das Recht haben, den Rest ihres Lebens dort zu leben. Zudem hat sich die EU geändert: Jetzt stellt man uns als leuchtendes Vorbild Höfe mit 20 Hektar und Biowirtschaft hin, weil der Prozess des Umdenkens in puncto Umwelt bereits an Tempo gewinnt.

Aber die Existenz der Selbstversorger belastet natürlich unser Image: Als wir eine Studienreise für Experten aus der EU und aus dem österreichischen Landwirtschaftsministerium organisiert haben, war alles wunderbar. Nur – nach dem vierten Tag haben Teilnehmer gefragt, vor allem Journalisten: "Wo gibt es diese Pferde?". Die Wende in der Landwirtschaft wird nicht wahrgenommen. Jeder Journalist aus Deutschland oder Österreich, der nach Polen fährt, will offenbar einen dekorativen Bauern mit Pferd fotografieren. Es muss auch offensichtlich so einen "diensthabenden Bauern" geben, denn z.B. in der österreichischen Presse ist er auf immer demselben Bild zu sehen, ich kenne schon seine Gesichtszüge. (Später kamen die Besucher auch noch an die Ostgrenze, wo es noch Pferdefuhrwerke gibt. Aber in Großpolen ist es wirklich schwierig, so ein Bild zu bekommen).

Nicht überall sind wir so fortschrittlich wie die EU, aber wir haben z.B. zehnmal weniger Pflanzenschutzmittel in unserer Landwirtschaft angewendet, und zwar weil wir nicht genug Geld dafür hatten. Aber zehnmal weniger Pflanzenschutzmittel und dreimal weniger Kunstdünger bedeutet entsprechend weniger Spurenreste in Lebensmitteln. Was Nitrate und Nitrite betrifft, liegen nicht nur unsere Normen, sondern auch unsere Wirklichkeit unter den EU-Werten. Diese stehen für einen

Fortschritt, den wir nicht unbedingt erreichen müssen. Ein bekanntes Beispiel für Klischees über die Landwirtschaft war auch die bekannte Geschichte mit dem Nitrofen; was war der erste Verdacht? Er sei aus Polen gekommen. Und: in Polen dürfe man das anwenden! Man darf es nicht, seit Jahren ist es verboten. Keine Zeitung hat dann geschrieben, dass es falsch war, als Klischee funktioniert es immer noch, dieses wird auch schwer zu beseitigen sein.

Wo wir Defizite hatten – und hier sind wir der EU sehr dankbar – war das Veterinärrecht, die Sanitärsituation der Molkereien und Bauernhöfe. Es zeigte sich binnen eines Jahres, als die Kriterien klar wurden, dass 60 %, also etwa 89.000 von 160.000 Bauernhöfen, diese Kriterien erfüllen konnten. Dasselbe betrifft unsere Verspätung mit der Agrarverwaltung, deren Ausbau für Direktzahlungen notwendig ist. Da war ich noch im Parlament, wir waren einen Moment lang ratlos. Im Allgemeinen haben wir die Verwaltung ja dezentralisiert, und die Tiefe der Dezentralisierung mit Gemeinden, Bezirken, Kreisen und Woiwodschaften ist da. In der Agrarverwaltung haben wir die staatlichen zentralen Agenturen dagegen beibehalten. Man konnte die Endform dieser Verwaltung nicht planen, da wir nicht wussten (und wir wissen es bis jetzt nicht), ob wir überhaupt und wenn ja, in welcher Höhe die Direktzahlungen bekommen werden. Wir bauen nun eine kostspielige Verwaltung auf, während wir die Ergebnisse noch nicht kennen, für die diese Verwaltung notwendig wird.

Die Direktzahlungen wurden bereits von Herrn Hoffmeister erwähnt. Es ist so: Polen hat zuerst nicht 100 % verlangt. Aber es droht jetzt das Szenario, dass Polen im ersten Jahr nach dem Beitritt ein Nettozahler wird. Österreichische Experten vom Landwirtschaftsministerium und Professoren, die sich mit der Sache befassen, sind sich einig, dass im Segment Getreide Zehntausende von Bauern mit der Insolvenz konfrontiert sein werden, wenn wir völlig ohne Direktzahlungen auskommen müssen.

Polen funktioniert seit zehn Jahren mit der stark subventionierten EU-Landwirtschaft; Der Überschuss der Exporte der EU sagt schon viel. Zur Zeit unterhalten wir in Deutschland 100.000 Arbeitsplätze, weil beim Überschuss von Export bzw. Import die Proportionen einfach so ungleich sind. Einmal hatte die EU – ich möchte keine Vorwürfe machen, ich kann auch die Gründe verstehen – "über Nacht" eine Lebensmittelhilfe für Russland beschlossen. Damit hat man ungefähr 20.000 polnische Bauernhöfe, die für kleines Geld Getreide und Kartoffeln nach Russland verkauft haben, ruiniert. Und jetzt haben wir gerade in diesen Woiwodschaften und Kreisen besondere Probleme, sie vom EU-Beitritt zu überzeugen. Die Umfragewerte dort liegen ganz niedrig und die Populisten, die auch bei uns auftreten, haben im Gegenzug gerade in diesen Kreisen unglaubliche Werte. Da kommen Politologen ins Staunen, warum plötzlich in diesem Bezirk, wo jeder Bauer genau weiß, wo und wann dieser und jener pleite gegangen ist, das Meinungsbild anders als vor einigen Jahren ausfällt. Wir haben nichts gegen die kostenlose Hilfe, wenn man uns nur damals gewarnt hätte, hätte wir es anders handhaben können. Wir erwarten daher, dass wir Direktzahlungen bekommen. 25 % sind für uns schlicht und einfach zu wenig, wir verhandeln weiter.

Man könnte natürlich sagen, man solle die polnischen Bauern auf dem Altar des Gemeinwohls für die polnische Zukunft aufopfern. Aber das wäre eine Entscheidung, die das Referendum über den Beitritt, das wir aus Gründen der demokratischen Legitimation durchführen, einfach kippen kann. Man kann so lange und so viel arbeiten und dann doch dicht am Ufer ertrinken. Wir können lange mit den Bauern diskutieren, aber wenn sie uns zeigen können, dass Polen zu einem Nettozahler werden kann, werden wir sie nicht überzeugen können. Die EU hat dieses Problem mittlerweile erkannt, die Gespräche dauern. Darf ich aber auch darauf hinweisen, dass wegen der großen Kluft in Gehältern zwischen den Bauern und der Stadtbevölkerung keine Gefahr besteht, dass sich die Bauern übermäßig bereichern werden.

c) Atomkraft

Ebenfalls aus ökologischen und ethischen Gründen hat sich Polen nach einem demokratischen Willensbildungsprozess gegen die Atomkraft entschieden, obwohl uns das ökonomisch sehr schadet. Selbstverständlich bringt das weitere Folgeprobleme: Weil wir keine Atomenergie haben, haben wir viel mehr mit traditionellen Energiequellen zu tun, das bedeutet mehr Abfälle, allerdings nicht so gefährliche, und das bedeutet auch mehr Abgase und Luftverschmutzung. Das waren unsere Argumente bei der Aushandlung der Übergangsfristen. Es existiert ein halb fertiggestelltes, sehr teures Atomkraftwerk in Pommern, in der Nähe von Danzig. Es hat uns sehr viel gekostet, die Inbetriebnahme zu stoppen. Dass wir dafür während der Beitrittsverhandlungen besonders belohnt wurden, würde ich nicht behaupten. Das, was gemacht wurde, wird als selbstverständlich betrachtet.

d) Freizügigkeit der Arbeitskräfte

Die Behandlung der Arbeitnehmerfreizügigkeit war besonders in Österreich und Deutschland eine interessante Sache, und ich glaube, wenn man eine Doktorarbeit in Politologie über das Irrationale in der Politik schreiben wollte, über irrationale Ängste, Befürchtungen und Klischees, würde man darin wahrscheinlich schnell ein Anwendungsfeld finden.

Es ist nicht so, dass es nur auf einer Seite Probleme gibt. Irrational, wenn wir die Realität des Arbeitsmarktes betrachten, ist diese siebenjährige Übergangsfrist schon. Wir haben ihr trotzdem zugestimmt. Irrational ist sie nämlich nicht nur politisch aus der Sicht der ganzen EU und der Verhandlungen, hier war die interne Rationalität da. Uns hat die Zustimmung näher ans Ziel gebracht, und das wurde auch präzise gesagt: Man hat die Wellen geglättet. Was mich fasziniert, ist, dass diese Klischees so stark sein können, dass sich gerade zwei Länder für diese Lösung eingesetzt haben, die sich mit diesen Entscheidungen wirtschaftlich ganz klar schaden, aber politisch wahrscheinlich gewinnen können.

Ich bin in den zwei letzten Monaten in vielen Ortschaften nicht nur im österreichischen Grenzgebiet gewesen; z.B. Großsieghart und Bad Radkersburg. In Neudörfl habe ich eine Feuerwehrzentrale eröffnet, die von polnischen Architekten projektiert wurde. Nach der Heiligen Messe sprach ich zu der Bevölkerung in Bludenz und eröffnete dort den Klostermarkt. Ich "wandere" wirklich von einem Dorf zum anderen. Im Grenzgebiet und auf dem Lande ist die Angst gar nicht die größte. Dort, wo man das Problem wirklich kennt, z.B. Burgenland, ist auch die Zustimmung für die EU-Erweiterung – anders als viele Populisten das sagen – durchschnittlich viel höher als sonst in Österreich. Man kann das wissenschaftlich beweisen. Das bedeutet, dass die Menschen, die mit dieser Wirklichkeit an der Grenze in Österreich konfrontiert sind, genau wissen, dass keine Tschechen, keine Ungarn, keine Slowenen in Scharen kommen werden, und das daher ganz anders sehen.

Es ist auch interessant zu sehen, wie die polnischen Informatiker auf den Vorschlag reagierten, mit einer Greencard nach Deutschland zu kommen, nach dem berühmten Vorschlag von Herrn Bundeskanzler Schröder: 103 Personen haben davon Gebrauch gemacht. Wenn sie schon auswandern, dann gehen unsere Landsleute nach Amerika. Die Menschen sind geneigt, zu emigrieren, wenn sie soviel Geld bekommen, dass es sich wirklich lohnt, oder wenn das Leben so unerträglich ist, dass man alles tut, um die Situation zu ändern. Man muss jetzt bei uns schon das Dreifache des derzeitigen Gehalts bezahlen, um jemanden zur Emigration zu bewegen. Natürlich gibt es Segmente und Gebiete, wo wirklich Hoffnungslosigkeit am Arbeitsmarkt herrscht. Aber wir haben schon ein Problem, diese Menschen vom Norden Polens nach Süden zu bewegen. Sie haben keine Mobilität. Es gibt verschiedene Sozialprogramme, die versuchen, dies zu ändern, aber manchmal ist das eher schon ein soziales

Problem. Manchmal ist es bei bestimmten Menschen sehr schwer, von dieser Langzeitarbeitslosigkeit wegzukommen. Diese schlimmsten Stellen sind gerade im Norden, ehemaliges Ostpreußen, Masuren und Pommern, wo man eigentlich in Schweden und Norwegen auf der anderen Ostseeseite einen funktionierenden Arbeitsmarkt hat.

Polen hat jetzt folgende Vorschläge von Ländern, die von uns Arbeitskräfte wollen, bekommen: Spanien will 20.000 polnische Arbeitskräfte. Kraftwagenfahrer, medizinisches Personal, Pflegepersonal. Italien wünscht vor allem Pflege- und Arztpersonal, Schweden will sofort 5.000 polnische Ärzte und wenn möglich 20.000 polnische Krankenschwestern. Was man bietet, ist nicht nur die Arbeit, nicht nur die Wohnung, sondern auch Sprachkurse noch in Polen, eine Rückkehrgarantie, Startbeihilfe und Taschengeld (Norwegen). Es wird ganz offiziell gemacht, und wir machen gern mit, weil wir so unsere Menschen und Bürger aus der Falle der doppelten Moral der Schwarzarbeit befreien. Zur Zeit sind die Verträge mit Holland schon abgeschlossen. Wir haben jetzt eine schöne Schlange von EU-Ländern, in der Perspektive gezielt polnische Arbeitskräfte wollen, auf der anderen Seite aber die Deutschen und die Österreicher, die auf diese schreckliche Invasionsgefahr hinweisen.

Ich spreche mit vielen Unternehmen in Österreich, mit den Wirtschaftskammern, auch mit Handwerkern. Alle beklagen, dass sie gerne noch jemanden engagieren möchten, aber dafür keine Bewilligung bekommen. Wir haben sogar mit Scheinadoptionen zu kämpfen, weil die Menschen keinen anderen Ausweg sehen, als die Mitarbeiter zu adoptieren. Vielleicht beschreibt eine Anekdote besser die Lage als jede Analyse: Als die Kontingente für Saisonarbeiter eingeführt wurden, kam zu einem meiner diplomatischen Kollegen ein deutscher Unternehmer mit einem Betrieb für Spargel und Erdbeeren und sagte, er wolle polnische Saisonarbeiter einstellen. Der Diplomat sagte ihm: "Sie haben doch die deutschen Arbeitslosen, es gibt jetzt ein Verbot, ich kann Ihnen nicht helfen." Darauf sagte der Unternehmer: "Aber die Deutschen lassen sich nach zwei oder drei Tagen krank schreiben, und ich stehe da mit meiner Ernte." Das ist die Realität. Der Diplomat fügte hinzu: "Gehen Sie mit Ihrer Firma nach Polen, dort werden Sie so viele polnische Mitarbeiter finden, wie Sie nur wollen." Der Unternehmer hat jetzt eine große polnisch-deutsche Firma in der Nähe von Stettin. Er hat seinen Standort verlegt, weil ihm das in Deutschland einfach zu kompliziert war. Und das ist der Schluss, den man daraus ziehen kann: Je mehr Freizügigkeit der Arbeitskräfte gewährt wird, desto weniger Standorte werden Deutschland und Österreich und andere Länder verlieren.

In unserem Interesse liegt es, dass unsere jungen Staatsbürger für drei oder fünf Jahre in den Westen fahren, Erfahrungen sammeln, Geld für eine Wohnung und ein Auto verdienen und zurückkommen, so wie das immer in Europa war, wo die jungen Menschen oft als Handwerker eine Wanderzeit hatten. Wir sind aber nicht daran interessiert, dass sie schwarzarbeiten – das ist eine klare Ausbeutung und Doppelmoral. Die Opfer kommen dann zu mir in die Botschaft: letzte Woche ein junger Mann, 23 Jahre alt, Arbeitsplatz schlecht gesichert, weil der Arbeitgeber sich dafür nicht interessiert hat, das Gerüst war abenteuerlich, der Mann ist hinuntergefallen und bleibt bis an sein Lebensende querschnittsgelähmt. Die Ursache war eindeutig das schlechte Gerüst. Der Arbeitgeber hat 3000 Schilling (218 Euro) Geldstrafe gezahlt. Der junge Mann hat keine Kinder, kein Geld und wird bis zum Lebensende in einem Pflegeheim bleiben, für das der Staat aufkommen muss. Ich habe Tausende solche Beispiele gehört und Hunderte erlebt. Das zeigt, dass wir die Menschen aus der Illegalität ziehen müssen. Die Normalisierung der Arbeitsverhältnisse nach der Erweiterung wird wirklich gute Folgen haben.

Man spricht heute soviel von Aufarbeitung der Geschichte. Wenn man von Migration spricht, muss man schließlich immer noch die Bilanz des zweiten Weltkrieges für Polen dazu nehmen: sechs Millionen ermordete Bürger (drei Millionen polnische Juden, drei Millionen polnische Christen). Die Sowjetunion unter Stalin hat eine Million Polen ermordet und zwei Millionen nach Kasachstan und Sibirien verschleppt. Vertrieben wurden während und noch dem Kriege viereinhalb Millionen Polen: Polen hat ein Drittel des Territoriums verloren und im Westen nach den Jalta-Beschlüssen dafür ungewollt etwas bekommen. Die ersten Vertreibungen begannen schon Winter 1940 aus Großpolen, Pommern und Schlesien. Es war aber keine typische Vertreibung, sondern man nahm immer zuerst die Führungsschicht fest. Man entfernte aus jedem Städtchen und jedem Dorf Lehrer, Priester, Apotheker, Ärzte und was noch zu dieser Elite gehört. Diese Menschen sind noch vor der Entstehung von Auschwitz, in Mauthausen und Gusen ermordet worden. Allein in Gusen sind 25.000 Menschen, darunter Lehrer, Politiker, Olympiasieger, Ärzte, vor allem Priester ermordet worden (in Mauthausen und Gusen sind es 1200 gewesen). Die Idee von Hitler war es, anders als bei den Juden im Fall Polen, keinen restlosen Holocaust zu verüben, sondern aus den Polen irgendwo in Sibirien ein Sklavenvolk zu machen, daher nahm man uns die Führungsschicht. Zu den vielen Defiziten, die wir nach dem Krieg ausgleichen mussten, gehörte natürlich auch, dass man zuerst eine neue Bildungsschicht heranziehen musste. Norman Davis, ein Oxforder Historiker, betont diesen Verlust für die nächste 30 Jahre polnischer Geschichte sehr.

Heute ist Polen zum ersten Mal seit dem XVII. Jh. ein "Immigrationsland" für Deutschland geworden. Die Zahl der Rückkehrer nach Schlesien ist jetzt größer als die derer, die nach Deutschland ausreisen. Ich meine nicht die 200.000 polnischen Saisonarbeiter, das entspricht ca. 40.000 Normalbeschäftigte, sondern die Menschen, die jetzt bei uns Anträge stellen, um die polnische Staatsbürgerschaft zurückzubekommen. Sie kommen aus Deutschland, und es gab schon Jahre, wo Polen als Auswanderungsland für Deutsche an zweiter Stelle nach den Vereinigten Staaten lag. Natürlich sind diese Personen meist schlesisch-deutscher oder polnischer Her-

kunft. Es ist auch wenig bekannt, dass in den letzten zwölf Jahren 60.000 Emigranten offiziell aus dem Westen nach Polen zurückgekommen sind.
In Polen gibt es (auch wegen dieser Rückkehrer) durchschnittlich 18 % Arbeitslosigkeit und Gebiete, wo sie noch viel größer ist. Mit der Integration der Wolgadeutschen hat Deutschland wesentliche Integrationsprobleme. Zu uns kommen jetzt die Kasachstanpolen zusätzlich aus dem Osten, und viele die nicht offiziell emigrierten, zurück.

3. Schlussbetrachtung

Man verkennt manchmal das Tempo der Veränderung: die Zahl der Studierenden hat in sich in den letzten zehn Jahren um 30 % vergrößert. Die Gemeinden in Polen haben seit der Wende soviel Kläranlagen gebaut wie in 40 Jahren zuvor, obwohl wegen der Inflationsrate manche Kredite – das habe ich hautnah in der Praxis erlebt – mit 40 % verzinst waren. Trotz dieser Bedingungen haben die Gemeinden vor allem viele ökologische Investitionen vorgenommen, für die wir von der so strengen Europäischen Kommission sogar ein Lob bekommen haben. Wir haben nämlich zehn Mrd. Euro aus eigenen Mitteln (Staatshaushalt) in den Umweltschutz investiert; es ist immer noch zu wenig aber der Prozess läuft. Die Beitrittsbedingungen verlangen noch zusätzliche Investitionen in Höhe von 10-12 Mrd. Euro.

Polen hatte 1990 50 Mrd. Dollar altkommunistische Schulden zu bezahlen. Wir sind immer noch dabei – trotz Reduzierung der Schulden – das zu tilgen. Deutschland hat hier ein großes Verdienst; Es hat uns ermöglicht, einen Teil unserer Schulden in einen Öko-Fonds für ökologische Investitionen zu verwandeln, die für das gemeinsame Klima nützlich sind, wenn wir die Aufträge an deutsche Unternehmen vergeben. Die Umwelt und die deutsche Wirtschaft profitieren davon. Österreich hat das leider noch nicht gemacht, obwohl aber für die Durchführung dieses Projekts Polen jetzt den sogenannten "ökologischen Nobelpreis" in Österreich bekommen hat. Ich hoffe daher immer noch, dass von der sogenannten Konversion auch die österreichischen Investoren profitieren werden können.

Polen hat einen langen Weg zur EU hinter sich und jene großen Schwierigkeiten schon längst überwunden, die für den Beitrittsprozess typisch sind. Die neue, im Referendum akzeptierte Verfassung des Landes definiert die Regeln in der Präambel: "(...) Als grundlegendes Recht des Staates, fußend auf der Achtung von Freiheit und Gerechtigkeit, der Zusammenarbeit der öffentlichen Gewalt, dem gesellschaftlichen Dialog sowie auf dem Prinzip, durch Hilfe die Rechte der Staatsbürger und deren Gemeinschaften zu stärken. Alle, die diese Verfassung zum Wohl der Dritten Republik anwenden werden, fordern wir auf, die dem Menschen angeborene Würde, sein Recht auf Freiheit und seine Pflicht zur Solidarität mit anderen Menschen zu beachten, und diese Prinzipien als unverletzliche Grundlage der Republik Polen immer einzuhalten."[83]

[83] Verfassung der Republik Polen, Kanzlei des Sejm, Warschau, 1997.

Chancen und Probleme der EU-Erweiterung

von Erhard Busek

Die Erweiterung der Europäischen Union ist das große Projekt des 21. Jahrhunderts. Doch ist die gegenwärtig anstehende Erweiterung mit den bisherigen Erweiterungen keineswegs vergleichbar, denn es sind gleichzeitig mehrere Probleme zu bewältigen:

- die Erreichung des "acquis communautaire" der Europäischen Union durch die Beitrittskandidaten.
- die Fortführung des Transformationsprozesses, der im Großen und Ganzen bisher schon sehr erfolgreich war.
- die notwendige innere Veränderung der Europäischen Union, um wirklich als Akteur auftreten zu können.

Dabei gibt es sicher eine Reihe von bilateralen Problemen, aber auch Fragen, die im Verhältnis zur Europäischen Union zu bewältigen sind. Dabei muß rational vorgegangen werden, wobei mit Sorge festgestellt werden muß, dass wir eine Fülle von Emotionen auf diesem Gebiet haben. Die Probleme sollen allerdings nicht weggeschoben werden, sondern verlangen eine genaue Auseinandersetzung. Als großes Thema aber bleibt, was Europa überhaupt heute ist, für welche Werte es steht und wie sehr es für Stabilität und Frieden sorgen kann.

Seit 1989 ist die Frage nach der Vorstellung von der endgültigen Form des Kontinents, der "fianlité d'Europe", real gestellt. Konnte man zuvor nur hoffen, dass ganz Europa irgendwann einmal selbst sein Schicksal bestimmen könnte, ist jetzt der historische Augenblick gekommen, möglicherweise ein Fenster der Weltgeschichte geöffnet, in dem eine Neugestaltung möglich ist.

In Wahrheit ist die Erweiterung der EU gegenwärtig an einem kritischen Punkt angelangt. Zwei Richtungen der Entwicklung sind dabei genau zu beobachten. Die eine ist eine problematische, nämlich der Versuch, wieder Trennlinien in Europa einzuziehen, mögen sie nun Kerneuropa, Europa der zwei Geschwindigkeiten, der konzentrischen Kreise oder Schengen- und Euroland heißen. Sicher ist manches Problem dadurch leichter zu lösen, aber den moralischen Vorwurf, gerade in der Mitte Europas entgegen den Sehnsüchten der Bürger mehrere Arten von Europäern zu unterscheiden, erspart man sich dadurch nicht. Damit sind wir aber wieder in Mitteleuropa, denn dort sind die nächsten Entscheidungen zu treffen.

Die gegenwärtigen Beitrittswünsche zur EU sind zweifellos nicht in einen Topf zu werfen - auch nicht die akzeptierten Verhandlungspartner. Es hieße Apperzeptionsverweigerung zu betreiben, wenn man alle Kandidaten gleich bewertete. Der Sinn einer solchen Unterscheidung besteht nicht darin, manche Kandidaten auf stille Art auszuscheiden, sondern eine Strategie zu entwickeln, die schrittweise Integration ermöglicht. Die bisherige Vorgangsweise, Gruppen von Beitrittskandidaten zu schaffen, ist diesmal schwierig, weil die Unterschiede stärker sind. Alles spricht dafür, die Verhandlungen überall zur gleichen Zeit zu führen. Dort aber, wo sie abgeschlossen werden können, sind sie umzusetzen - ein Warten auf andere wäre sinnlos. Dass dabei Umbauten der EU notwendig sind, bestreitet niemand; sie sind aber nicht unbedingt in kausalem Zusammenhang mit der Erweiterung zu sehen, weil eher die politischen Anforderungen der Zeit eine Vertiefung verlangen. Auf außen- und sicherheitspolitischem Gebiet handlungsfähig zu sein, ist für die Union auch in ihrem jetzigen Umfang und auch jetzt von Bedeutung.

Entscheidend ist der Faktor der Zeit, denn die Anforderung, ein größeres Europa zu bilden, alle Ressourcen zu nutzen und Instabilität zu beseitigen, ist naheliegend.

Wenn man davon ausgeht, dass es in absehbarer Zeit zehn Staaten sind, die zu den gegenwärtig fünfzehn hinzukommen, so würde sich die Union von gegenwärtig über 370 Millionen Einwohnern auf 25 Staaten mit über 480 Millionen vergrößern. Flächenmäßig würde die Union um etwa ein Drittel zunehmen.

Da wird aber auch schon der erste Problemkreis sichtbar: Im Gegensatz zu den westeuropäischen Ländern sind die mittel- und osteuropäischen Länder noch immer stark agrarisch geprägt. Durchschnittlich etwa 15 Prozent der Bevölkerung arbeitet dort in der Landwirtschaft, während in der heutigen Union der Prozentsatz bei 5 Prozent und weiter sinkend liegen dürfte. Wer die Aufregungen um die Agrarordnung der EU verfolgt, kann ermessen, welche Probleme in der Durchsetzung der Osterweiterung entstehen und wie gerade die Bauern in der EU reagieren werden, obwohl die Produktivität der Beitrittswerbenden Länder im Vergleich geringer ist und die Erweiterungsländer gerade aus Österreich viele landwirtschaftliche Produkte importieren.

In Wahrheit ist aber das Problem in der Strukturpolitik größer. Wenngleich etwa Slowenien gerade dabei ist, das Pro-Kopf-Einkommen Griechenlands und Portugals zu überholen, ist das Wohlstandsgefälle doch beträchtlich. Hier liegt auch das Argument, sich für Maßnahmen der Integration auszusprechen, weil ansonsten die wirtschaftliche, soziale und damit politische Destabilisierung auch der gegenwärtigen Union droht. Regional wird das gar nicht so einfach durchzusetzen sein, denn die bisherigen Nutznießer sind Spanien, Italien, Griechenland, Portugal und Irland - alles Länder, denen mit Immigration und Unsicherheit an der Grenze durch die mittel- und osteuropäischen Staaten kaum zu drohen ist. Deutschland zählt nach der Wiedervereinigung ebenfalls zu den Nutznießern, aber möglicherweise ist die eigene Erfahrung und die Nachbarschaft zu Polen ein stärkeres positives Argument.

Damit erhebt sich die Frage nach weiteren Argumenten für die Erweiterung. Sie müssen für bewußte Europäer vor allem in der demokratischen Grundstruktur des Kontinents und in einer Vision des "neuen Europa" liegen. Die Verpflichtungen, die im "acquis communitaire" - dem bisherigen Stand der europäischen Integration durch die Bindung der Staaten aneinander - eingegangen werden, sind ein Bestandteil der politischen und wirtschaftlichen Stabilität und somit friedensstiftender Natur.

Es empfiehlt sich auch, offen über die Kosten der Erweiterung zu diskutieren, denn die in Rede stehenden Länder sind Nettoempfänger, also auf die Finanzkraft der bisherigen Mitglieder angewiesen. Beim Beitritt von Portugal, Spanien und Griechenland hat eine ähnliche Situation bestanden, die damals

auch politisch verträglich war. Nach den Berechnungen der EU-Kommission würden nur etwa 13 Prozent auf den landwirtschaftlichen Garantiefonds entfallen, 87 Prozent aber auf die Strukturfonds. Damit ist jedoch einmal mehr klar, dass die Lösung des Problems nicht in einer generellen Erhöhung der Beiträge der Nettozahler unter den EU-Staaten liegen kann, sondern dass Übergangsfristen gewählt werden müssen und die immer wieder verlangte Reform der bestehenden Agrar- und Strukturpolitik gleichzeitig zu leisten ist.
Auch ohne Osterweiterung steht die Landwirtschaftspolitik der EU unter Veränderungsdruck. Sie ist mittelfristig nicht nur nicht finanzierbar, sie droht auch GATT-widrig zu werden. Ein geordneter Rückzug von den bisherigen Strategien, insbesondere der Stützpreispolitik, ist notwendig.
Dasselbe gilt für die Strukturpolitik. Aufgabe der EU-Regionalpolitik ist es, die Einkommensunterschiede zu verringern und die Struktur zu verbessern, um die entsprechenden Voraussetzungen für eine positive Entwicklung zu schaffen. Das Wohlstandsgefälle zwischen den wohlhabenden EU-Ländern und Griechenland ist nicht geringer geworden, sondern sogar gewachsen. Bei Spanien, Irland und Portugal war der Erfolg größer. Gerade aber Konfliktfälle des Jahres 1996 zwischen EU-Kommission und den Mitgliedsländern - etwa die kritisierten VW-Subventionen in Sachsen - zeigen, dass damit Wahlgeschenke der Politiker und nicht wirtschaftliche Strukturverbesserungen gemacht werden. Die Erziehung zur Subvention und die Verzerrung des Wettbewerbs kann nicht das Ziel der in der EU großgeschriebenen Freiheit des Marktes sein. In der Frage der Übergangsfristen wird man sich leichter tun, weil sei bei Beitritt schon Tradition haben und eine Mitwirkung nicht behindern, sondern fördern.
Damit werden die "verschiedenen Geschwindigkeiten" für eine gewisse Zeit innerhalb der EU stattfinden und nicht zu einer Teilung Europas führen. Auch das "opting out" - die Möglichkeit des Aussteigens aus einer Verpflichtung - könnte eine Hilfe für manche Staaten sein, wie es beim Schengen-Vertrag zur Vereinfachung der Grenzkontrolle, beim Sozialprotokoll zu den Arbeitsrechten und bei der Währungsunion der Fall ist. Es

sollte jedoch Ausnahme bleiben und nicht zur Regel werden, weil damit immer mehr das Bild von den Rosinen entsteht, die aus dem gemeinsamen Kuchen gepickt werden, während eine umfassende gemeinsame Rechts- und Marktordnung immer mehr durchlöchert und fragmentiert wird. Ein "Europa à la carte" wäre die Folge, nicht aber eine kräftige Union.

Bei grundsätzlichem Durchdenken der Situation Europas spricht allerdings mehr für ein positives Handeln, also einen Beitritt möglichst vieler mittel- und osteuropäischer Länder. Gerade die kritische Situation nach 1989 läßt das als die beste Antwort erscheinen, alles andere erzeugt mehr Gefahren als Chancen und zukunftsweisende Ergebnisse. Das integrierte Europa hat seine Reife allerdings noch weiter unter Beweis zu stellen, denn Europa ist selbst nach den Beitritten der zehn Kanditatenländer noch nicht vollständig. Die weiteren Beitrittswilligen werden nicht nur ermuntert, sondern erfahren dadurch auch eine Strukturverbesserung - ökonomisch ebenso wie politisch.

Es würde aber zu kurz greifen, wenn man nur auf die generelle Dimension der Erweiterung der Europäischen Union eingeht. Der Begriff der "Ost"-Erweiterung ist irreführend. Erstens findet sie in der Mitte des Kontinents statt, zweitens geht es um eine generelle Erweiterung, die nicht durch geographische Merkmale beeinträchtigt werden soll, denen in der europäischen Öffentlichkeit ein eher abträglicher Beigeschmack anhaftet. Niemand versteh den Begriff "Osten" als etwas Positives. Diese psychologischen Aspekte sind von ganz entscheidender Bedeutung, weil sie etwa in der österreichischen Öffentlichkeit und wahrscheinlich auch in anderen europäischen Ländern eine meinungsbildende Rolle spielten. Die intelligenteren Kritiker der Erweiterung argumentieren damit, dass zunächst überhaupt die Vertiefung der Europäischen Union stattfinden müßte, um eine Erweiterung durchführen zu können. Die bisherige Entwicklung des Gemeinschaftsprojektes zeigt allerdings, dass die Vertiefung nur dann stattgefunden hat, wenn gleichzeitig eine Erweiterung angestanden ist. Es werden sich nämlich die jetzigen 15 Mitglieder der EU kaum eher dazu entschließen, endlich einmal einen echten europäischen Außenminister, eine europäische Armee und eine europäische Polizei zu schaffen, wenn sie zunächst unter sich bleiben. Eher wird es darum gehen, von manchen Aspekten des Nationalstaats Abschied zu nehmen, weil man mit seinen Mitteln die anstehenden Probleme angesichts der Globalisierung wohl kaum mehr lösen kann. Es gibt nämlich ein Argument, das generell für die Erweiterung der Europäischen Union spricht: die Globalisierung. Europa kann nur bestehen, wenn es in entsprechender Größe und Kapazität an diesem Prozeß teilnimmt, denn die potentiellen Partner in diesem Match wie China, Indien, die arabische Welt und Südostasien verfügen über ganz andere Größenordnungen, zu denen Europa erst heranreifen muß. Meinem Erachten nach ist aber das Bestehen unseres alten Kontinents innerhalb des Globalisierungsprozesses nicht nur im Ökonomischen, sondern auch im Ökologischen und Sozialen möglich, wenn es zu einem dynamischen Prozeß der Integration kommt. Dass dieser Prozeß nicht einfach ist, und eine Herausforderung bedeutet, soll gar nicht geleugnet werden. Politik ist aber dazu da, Probleme zu lösen und nicht Angst zu erzeugen.

Mit Bedauern habe ich registriert, dass es namhafte Stimmen aus der Politik gibt, die ihre Aufgabe darin sehen, als Warner vor der EU-Erweiterung aufzutreten. Meines Erachtens verfahren diese Politiker ihre Aufgabe und sind offensichtlich so am Tagesgeschäft orientiert, dass ihnen die konzeptive Sicht für die nächsten Jahre mit populistischen Argumenten verstellt ist. Die Osterweiterung ist nämlich die Chance Österreichs, in die Gestaltung des Kontinents einzugreifen.

Zunächst gibt es ein paar vordergründige primitive Argumente, warum die Ostgrenze der Union von uns wegkommen muß. Zu lange sind wir Ostgrenze gewesen, zu viele Lasten (zum Beispiel Schengen) sind damit verbunden, zu sehr verlieren wird damit Chancen in der Nachbarschaft, auch wirtschaftliche Erfolge zu haben. Das berühmte Argument, dass Arbeitsplätze abwandern und billige Arbeitskräfte zuwandern, sticht noch dazu nicht. Wenn unsere Nachbarn "draußen" bleiben, dann wird das Lohnniveau dort weiter tief und die Tendenz der Abwanderung umso größer sein. Je rascher es gelingt, ihre wirtschaftliche und soziale Situation an unser Niveau anzunähern, um so eher bleiben die Menschen im Lande und die Arbeitsplätze dort, wo sie sind. Die größere Gefahr besteht heute sicher unter dem Aspekt der Globalisierung in der Abwanderung etwa nach Indien oder Südostasien, wie es der Textilindustrie längst passiert ist. Die Abwanderung billiger Arbeitsplätze sichert bei einem Verbleib der Höherqualifizierten Tätigkeiten die österreichische Wirtschaft, denn die Alternative besteht nicht im Behalten aller Arbeitsplätze, sondern in der Abwanderung des gesamten Unternehmens.

Es gibt daneben aber auch moralische Argumente. Es war ja nicht die angenehmste Situation, dass wir längere Grenzen mit kommunistischen Nachbarn als mit freien Demokratien hatten. Nun hat sich das seit 1989 geändert - und schon wieder wollen wir jemanden von Europa ausschließen. Wir können uns außerdem nicht als Europa bezeichnen, wenn wir andere Europäer weg halten wollen. Dass etwa Iren, Spanier oder Portugiesen nicht interessiert sind, mag verständlich sein, wenngleich auch sie daran erinnert werden müssen, dass ihnen ihre Integration in die Europäische Gemeinschaft sehr viel an politischer, wirtschaftlicher und sozialer Stabilität gebracht hat. Christen sollte außerdem noch das Argument der Solidarität überzeugen - umso schmerzlicher, dass man auch von dieser Seite manchmal egoistische Argumente hört.

Ein weiteres Argument ist die Sicherheit. Ein Nachbar, mit dem man zusammenarbeitet, ist keine Bedrohung, er ist auch stärker gezwungen auf unsere Wünsche einzugehen und für Ordnung im eigenen Haus zu sorgen. Wir Österreicher sind ja ohnehin Trittbrettfahrer der Sicherheit, weil sie (siehe Debatte über NATO und Neutralität) ohnehin von anderen besorgt wird.

Wer die Argumentation nicht so vordergründig haben will, sollte sich überlegen, wieviel wir kulturell im Austausch mit unseren Nachbarn durch lange Zeit gewonnen haben.

Die Dimension des anstehenden Erweiterungsschritts ist von großer historischer Bedeutung. Es gilt dafür, den gegenwärtig rechten Augenblick zu erkennen und danach zu handeln. In Europa hat der Geist der Wagnis Tradition, hoffentlich können wir ihn in eigener Sache auch zeigen!

Wege der Versöhnung und Vergebung in Kroatien

von Stjepan Baloban

Wenn wir über die Prozesse der Versöhnung[84] und Vergebung in Kroatien reden, ist vor allem zu bedenken, dass das Land 1991 in einen Krieg gezogen wurde. Dieser von der Jugoslawischen Volksarmee und serbischen paramilitärischen Verbänden gegen Kroatien geführte Aggressionskrieg dauerte bis August 1995, bis zur Befreiung der meisten besetzten Landesteile durch die kroatischen Streitkräfte. Während des Krieges (1991-95) und auch danach gab es in Kroatien verschiedene Friedensinitiativen, an denen Christen, Katholiken und die katholische Kirche beteiligt waren. Nach dem Kriege insbesondere gab es auch mehrere Friedensinitiativen, die vom Ausland ausgingen und finanziert wurden.
In den nun folgenden kurzen Darlegungen werde ich lediglich einige wichtige Momente hervorheben, die von der Beteiligung der katholischen Kirche am Prozess der Versöhnung und Vergebung in Kroatien aus kroatischer Sicht sprechen.
Wenn ich sage "kroatische Sicht", so meine ich damit ein Land, das sich im Krieg befand. Das heißt vor allem: in Kroatien leben heute Menschen, die in Lagern gelebt haben, Menschen, die Freunde und Angehörige verloren haben, Frauen, die ihre Söhne und Männer verloren haben, Frauen, die vergewaltigt wurden, Kinder, die ihre Väter verloren haben. Das ist der Bezugsrahmen, der häufig übersehen wird in den, wie wir glauben, gut gemeinten Vorschlägen hinsichtlich des Ausbaus von Frieden und Aussöhnung, die uns von zahlreichen Personen und Institutionen außerhalb Kroatiens gemacht werden. Die Bürger Kroatiens sind sich dessen bewusst, dass es zum Frieden in Mittel- und Südosteuropa keine Alternative

[84] Der vorliegende Text wurde als Statement bei der 17. Tagung der Vereinigung zur Förderung der katholischen Sozialethik am 16. März 2001 in Pécs referiert und wird hier als Nachtrag zu dieser Tagung abgedruckt.

gibt, und sind entschlossen, etwas zur unbedingt erforderlichen Aussöhnung beizutragen.

Aber es ist doch recht merkwürdig, dass seit zehn Jahren immer wieder Menschen mit fertigen Rezepten nach Kroatien kommen, ohne uns zu fragen, was wir zu diesem Problem meinen und im Zusammenhang damit unternehmen.

Diejenigen, die ernsthaft am Ausbau einer Atmosphäre für ein reibungsloses und menschenwürdiges Miteinander der unterschiedlichen Ethnien, aber auch der unterschiedlichen politischen Optionen innerhalb der einzelnen Ethnien arbeiten, wissen, dass die Lösungen nicht trivial sind und dass vielleicht die größte Gefahr für echte Aussöhnung und wahrhaftige Vergebung gerade in ihrer Banalisierung liegt. Medienspektakel und Übereinkünfte aus tagespolitischem Kalkül können zu einer wirklichen Verbesserung der Lage nichts beitragen.

Und auf dem Gebiet Frieden und Versöhnung wurde in Kroatien bereits seit der Zeit vor dem Ausbruch des Krieges viel getan.

Lassen Sie mich in diesem Zusammenhang auf einige Initiativen der letzten Jahre näher eingehen, die insbesondere von der katholischen Kirche in Kroatien ausgingen und geleitet werden und die alle auf eine Aussöhnung der Menschen und der einzelnen ethnischen Gemeinschaften hinarbeiten.

Von den zahlreichen Initiativen der katholischen Kirche Kroatiens möchte ich vor allem den Anfang und einen Namen erwähnen: den des damaligen Erzbischofs von Zagreb, Franjo Kardinal Kuharić. Anfang 1991, als sich die Gefahr eines Krieges bereits abzeichnete, erklärten die kroatischen Bischöfe den 27. Januar 1991 zum "Gebetssonntag für Frieden und Gerechtigkeit" und widmeten den Feiertag Mariä Himmelfahrt (15. 8. 1991) dem "Gebet für Frieden und Umkehr". In seiner Predigt zu Mariä Himmelfahrt im Marienwallfahrtsort Marija Bistrica sagte Kardinal Kuharić unter anderem: "Wenn mein Gegner mein Haus niedergebrannt hat, werde ich seins nicht anzünden! Wenn er meine Kirche zerstört hat, werde ich seine nicht nur unangetastet lassen, sondern vielmehr sogar beschützen. Wenn er sein Zuhause verlassen hat, werde ich auch nicht eine einzige Nadel aus seinem Hause wegnehmen! Wenn er

meinen Vater, meinen Bruder, meine Schwester getötet hat, werde ich nicht Gleiches mit Gleichem vergelten, sondern das Leben seines Vaters, seines Bruders, seines Sohnes, seiner Schwester achten! ... Das müssen unsere Prinzipien sein."[85]
Das war die Haltung der katholischen Kirche während des Krieges in Kroatien. Das 1995 gegründete Franziskanerinstitut für die Kultur des Friedens organisierte noch im selben Jahr eine Tagung zum Thema Vergebung, und die Referate und Debatten dieses Symposiums wurden in einem Sammelband unter demselben Titel veröffentlicht.

Das Institut hat noch eine ganze Reihe weiterer Tagungen zum Thema Umwelt und Solidarität durchgeführt, doch für uns hier ist vor allem von Belang, dass im Institut ein Erziehungs- und Bildungsprogramm mit dem Titel "Auf dem Weg des Friedens" entwickelt wurde. Außerdem wurde von ihnen ein Lehrbuch unter demselben Titel erstellt, das in Zusammenarbeit mit dem Nationalen Büro für Katechese der kroatischen Bischofskonferenz für den Einsatz im Religionsunterricht herausgegeben wurde.

Das Institut hat zahlreiche Podiumsdiskussionen, Gesprächsrunden und Diskussionsabende zum Thema Versöhnung und zwischenmenschliche Beziehungen organisiert mit Teilnehmern und Betroffenen aus ganz Kroatien, von Fachleuten über "einfache" Bürger bis hin zu Kriegsopfern.

1997 wurde unter der Leitung von Prof. DDr. Marijan Valković (†) unter 1245 Bürgern Kroatiens eine Umfrage zum Thema "Glaube und Moral in Kroatien" durchgeführt. Ein Teil des Fragebogens widmete sich der sozialen und ethischen Distanz sowie der Versöhnungsbereitschaft.

Die kroatische Caritas, eine Körperschaft der Bischofskonferenz, schuf im Jahre 2000 in Zusammenarbeit mit dem Franziskanerinstitut für die Kultur des Friedens sowie Fachleuten

---

[85] Franjo Kardinal Kuharić, Predigt in der Messe zu Mariä Himmelfahrt, Marija Bistrica, 15. August 1991, in: *Mir je djelo pravde*. Poruke, propovijedi i apeli 1988-1994 (= *Friede ist ein Werk der Gerechtigkeit*. Botschaften, Predigten und Appelle 1988-1994), Glas Koncila, Zagreb 1999, S. 162.

und Intellektuellen aus anderen Institutionen das Projekt "Cropax - Croatia patiens pacificat" (*Kroatien baut auf Leiden Frieden auf*). Im Rahmen dieses Projekts fanden voriges Jahr in Zagreb und Osijek zum Thema "Vergebung und Versöhnung - Utopie oder Herausforderung?" Gesprächsrunden statt, zu denen Vertreter der Glaubensgemeinschaften, des Staates, gesellschaftlicher und politischer Organisationen und Institutionen sowie Fachleute aus dem Ausland zusammenkamen. Die Veranstaltungen waren öffentlich und wurden von der Öffentlichkeit und den Medien gut aufgenommen.

Im Rahmen des Cropax-Projekts ist für dieses Jahr in Zagreb eine internationale Konferenz zum Thema "Vergebung und Versöhnung - Herausforderung für Kirche und Gesellschaft" geplant, voraussichtlich vom 9. bis 13. Mai.

Im Vorfeld dieser Konferenz wurde im Laufe des vergangenen Jahres eine von namhaften kroatischen Theologen und Soziologen konzipierte und geleitete Umfrage durchgeführt. Die Fragen bezogen sich auf drei Themenkreise:

1. Vaterländischer Krieg und daraus resultierende Probleme.
2. Teilung in Kroatien und Versöhnungsbereitschaft.
3. Rolle von Glaube und Kirche im Vergebungs- und Aussöhnungsprozess.

Die Konferenz selbst wird drei Themenbereiche haben, die jeweils an einem der drei Veranstaltungstage erörtert werden:

1. Opfer und Vergebung.
2. Täter und Vergebung.
3. Versöhnung.

Nach der Konferenz sollen weitere Schritte folgen, weitere Personen und Gruppen angesprochen werden, die bereit wären, sich für dieses Projekt zu engagieren. Das Projekt wird auch an Schulen, Pfarrgemeinden, kirchliche Verbände usw. herangetragen.

Es würde den hier gesteckten zeitlichen Rahmen sprengen, wollte ich auch all die übrigen Initiativen und Projekte anführen, die in diesem Zusammenhang in Kroatien zur Zeit noch im Gange sind. Daher habe ich mich auf diejenigen innerhalb der Kirche konzentriert, und auch da nur die wichtigsten erwähnt.

Unerwähnt sind beispielsweise die konkreten Beispiele von Hilfe, welche die Menschen in der Kirche den Not Leidenden spendeten, ohne zu fragen, um wen es sich da handelte, sondern nur, was sie nötig hatten.

Abschließend bleibt zu bemerken, dass die Bemühungen um den Frieden ein noch nicht zu Ende geführtes Projekt sind, eine Aufgabe für die Menschheit, die noch zu lösen bleibt.

Friede ist nicht bloß unser Wunsch, sondern vielmehr unser Imperativ. Doch in der Vergangenheit sind viele Friedensabkommen geschlossen worden, oftmals ohne uns und an uns vorbei - und auch gegen uns gerichtet. All diese "Frieden" fußten nicht auf Wahrheit und Gerechtigkeit und haben immer nur neue Konflikte heraufbeschworen. Die Menschen in Kroatien wollen den Frieden, das haben alle Umfragen ergeben, aber sie haben ein gutes Gedächtnis und sind skeptisch gegenüber jeglichem "von draußen kommenden" und "oktroyierten" Frieden. Die Aussöhnung schreitet in Kroatien langsam voran. Das ist ein Prozess, eine Herausforderung für Kirche und Gesellschaft, aber auch für Europa und die Menschheit im Ganzen.

Die 18. Tagung der Vereinigung zur Förderung der katholischen Sozialethik

von Herbert Pribyl

Die Erweiterung der Europäischen Union war Thema der 18. Tagung des Vereins zur Förderung der katholischen Sozialethik in Mittel- und Südosteuropa, die vom 14. bis 16. Februar 2002 im Bildungshaus Don Bosco in Wien stattfand. Über 70 Experten und interessierte Teilnehmer aus Ungarn, Tschechien, Slowakei, Österreich, Deutschland, Kroatien, der Ukraine, den Niederlanden und Slowenien diskutierten mit qualifizierten Referenten das Thema der EU-Erweiterung.

Die Tagung begann am Donnerstag, 14. Februar mit einer Einführung in die Thematik durch Prof. Helmut Renöckl, Ethiker an den Universitäten Linz und Budweis und Obmann des Vereins zur Förderung der katholischen Sozialethik in Mittel- und Südosteuropa. Renöckl charakterisierte die Chance der europäischen Einigung als "Kairos", den die europäischen Völker und die Kirchen nicht versäumen sollten. Diese Einigung ist alles andere als einfach, sie erfordert Hoffnung und den gekonnten Einsatz der besten Kräfte: Die Menschen in Osteuropa müssen gegenwärtig gleichzeitig drei Umbrüche bewältigen, nämlich den Umbruch zu Demokratie und Marktwirtschaft, zur Integration in Europa und der Globalisierung. Dem gegenüber sind die Menschen in den etablierten Gesellschaften im Westen oft wenig veränderungswillig. Die Kirche müsse den Menschen helfen, mit den sie treffenden oder nötigen Veränderungen zu Recht zu kommen.

Renöckl wies auch auf die zunehmend sich öffnende Schere zwischen der Belastung der Menschen durch die rasante wissenschaftlich-technisch-ökonomische Entwicklung mit ihren Risiken und Schäden auf der einen und der Veränderungsfähigkeit oder Veränderungsunfähigkeit auf der anderen Seite hin. In solchen Situationen suchten die Menschen häufig ihr "Heil" in defensiver Sicherung, in geschlossenen Identitäten und Gruppen, in Vereinfachungen und in der Unterordnung unter eine autoritäre Führung. Bloße Vorwürfe, dass dies der falsche Weg ist, seien hier jedoch nicht hilfreich. Die Kirchen müssten Wege aufzeigen, wie die Risken miteinander, "mit Freiheit und Würde" bewältigt werden können.

Der Vormittag am Freitag, 15. Februar war dem Thema der EU-Erweiterung gewidmet. EU-Fachmann Botschafter Dr. Martin Sajdik, Wirtschaftspolitische Sektion des Österr. Außenministeriums, berichtete über den gegenwärtigen Verhandlungsstand und Perspektiven. Sajdik betonte, bei allen Detailproblemen, die mit der Erweiterung verbunden sind, sei das angestrebte Ziel "eine Zone des Friedens und der Prosperität" in Europa. Dies gilt, auch wenn es von einem Teil der Bürger nicht immer geglaubt werde. Manche Ängste seien auch dadurch gegeben, dass derzeit niemand sagen könne, wie dieses sich immer weiter integrierende Europa genau aussehen werde. Die EU-Erweiterung ist jedenfalls derzeit die "oberste Priorität" der österreichischen Außenpolitik. Allerdings müssten in den Beitrittsverhandlungen die legitimen Interessen Österreichs, aber auch die der Beitrittsländer gewahrt werden. Dies geschehe etwa durch Übergangsfristen, was die Freizügigkeit für Arbeitnehmer und für grenzüberschreitende Dienstleistungen im Bau, im Sozialwesen (Beispiel Hauskrankenpflege), sowie bei den Bewachungs- und Schutzdiensten betrifft. Für Österreich wird die Erweiterung laut Sajdik ein zusätzliches Wirtschaftswachstum von 0,6 bis 1,3 Prozent bringen. Die EU werde für die Erweiterung von 2004 bis 2006 40 Milliarden Euro ausgeben. Der österreichische Anteil seien 2,38 Prozent. Umgelegt heiße dies pro Österreicher und Jahr Kosten von knapp 40 Euro.

Im Anschluss daran sprach Botschafter DDr. Michael Weninger, politischer Berater von EU-Kommissionspräsident Romano Prodi, über "Europa der Zivilgesellschaft". Weninger forderte die Schaffung eines gemeinsamen europäischen Religionsrechtes. Es gebe heute in der EU zu wenige gemeinsame Regelungen und damit eine "grobe Rechtsunsicherheit" für die Kirchen und Religionsgemeinschaften. Kultusfragen seien derzeit nationales Recht, aber in den einzelnen Mitgliedsstaaten sehr unterschiedlich geregelt. Der Bogen reicht vom Staatskirchentum bis zu einem laizistischen Staat-Kirchen-Verhältnis. Eine Reihe von Kultusfragen spielten aber in gemeinsames EU-Recht hinein, z.B. die Bewahrung der Sonntagsruhe, religiöse Feiertage oder das rituelle Schächten. Laut Weninger fehlt derzeit auch eine zentrale Anlaufstelle für die Religionsgemeinschaften in der EU. In seiner Funktion als Berater des Kommissionspräsidenten sei er für den Dialog mit den Religionsgemeinschaften und Weltanschauungen zuständig und werde daher von vielen kontaktiert. Derzeit seien rund 140 Kirchen und religiöse Gemeinschaften mit Vertretungen in Brüssel präsent. Wenn immer noch ein hoher Prozentsatz der Bürger der EU Christen sind und ein überwiegender Teil der Bürger religiös, müsse sich dies auch in den Institutionen der Gemeinschaft widerspiegeln, "was es derzeit nicht tut".

Das gegenwärtige und zukünftige Europa hat, wie Botschafter Weninger hervorhob, eine geistige und spirituelle Dimension, es werde wesentlich von Kirchen und Weltanschauungen geprägt. Allerdings hätten die einzelnen Religionsgemeinschaften unterschiedliche Konzepte, wie sie in die Gesellschaft hineinwirken und sich in der "Bürgergesellschaft" engagieren. Was die Vertretung der Interessen in der EU betrifft, wertete Weninger das "Zwei-Säulen-Modell" der katholischen Kirche als das fortschrittlichste: Der Nuntius als Vertreter des Heiligen Stuhls nehme die weltkirchliche Perspektive wahr, während die Kommission der EU-Bischofskonferenzen (COMECE) die Interessen der Ortskirchen einbringe. Ein ähnliches Konzept hätte die jüdische Gemeinschaft: Die Konferenz der europäischen Großrabbiner nehme die Kultusfragen wahr, der europäische Zweig des jüdischen Weltkongresses die politischen. Generell meinte Weninger zur EU-Erweiterung, sie bringe für alle Beteiligten eine "Bereicherung" auf vielen Ebenen. Die Erweiterung bringe eine "Europäisierung der Europäischen Union". Ohne diese bliebe die EU ein "europäischer Torso".

Der europäische Einigungsprozess sei bisher eine "Erfolgsgeschichte". Um diese weiter zu führen, sei nicht nur eine Reform der EU-Institutionen gefragt. Es brauche eine Weiterentwicklung und Stärkung der Bürgergesellschaft in einer födera-

listisch konzipierten Union; dabei könnten die Kirchen und Religionsgemeinschaften eine große Rolle spielen.
Keine Grundlage in den Fakten haben nach den Worten Weningers Warnungen vor einer "Islamisierung" Europas. Von den 380 Millionen Einwohnern der EU seien heute schätzungsweise 13 bis 15 Millionen Muslime. Während etwa in den USA von den dortigen zehn Millionen Muslimen ein beträchtlicher Teil Konvertiten seien, seien die Muslime in der EU größtenteils Immigranten. Diese seien sprachlich und kulturell sehr unterschiedlich geprägt. Es werde seiner Ansicht nach nicht zu einer Islamisierung Europas, sondern zu einer Europäisierung der in der EU lebenden Islam-Gruppierungen kommen.
Im Anschluss behandelte der Wiener Wirtschaftswissenschaftler Prof. Dr. Fritz Breuss, Wirtschaftsuniversität Wien, Forschungsinstitut für Europafragen, die ökonomischen Herausforderungen der "Transformation". Breuss wies darauf hin, dass die wirtschaftliche Transformation für die ehemals kommunistischen Länder Osteuropas einen "dramatischen Schock" bedeutet habe. So hätten heute noch nicht alle Länder das Wirtschaftsniveau erreicht, auf dem sie 1989 vor der "Wende" waren, unter ihnen die baltischen Staaten. Selbst Tschechien habe dies erst 2001 geschafft. Nach derzeitigen Hypothesen werde Slowenien 2010 die durchschnittliche Wirtschaftsleistung der erweiterten EU erreichen, Bulgarien erst 2050. Er könne auch dem Argument mancher Gewerkschaftler nichts abgewinnen, die Erweiterung sollte erst dann erfolgen, wenn das Lohnniveau in den Beitrittskandidaten 80 Prozent dessen der EU erreicht hat. Da müsste man noch bis zu 30 Jahre warten, meinte der Wirtschaftswissenschaftler.
Am Nachmittag des 15. Februars sprach der Eisenstädter Bischof Dr. Paul Iby über Chancen und Probleme der EU-Erweiterung. Bischof Iby erinnerte daran, dass das "Neue Europa" nicht nur als Wirtschaftsgemeinschaft, sondern auch als Wertegemeinschaft gedacht sei. Umso mehr sollte man sich dafür einsetzen, dass sich die europäischen Völker nicht immer mehr zu einer säkularisierten Gesellschaft entwickeln, in der "Gott nur mehr in Sonntagsreden vorkommt". Die Besin-

nung auf das "christliche Erbe" Europas ist darum wesentlich. Bischof Iby erinnerte auch daran, dass der christliche Glaube Europa in den vergangen Jahrtausenden tief geprägt habe, auch wenn man sich dessen heute oft nicht bewusst ist. "Was wäre unser Österreich und Europa ohne sein christliches Erbe, ohne die vielen Kulturschätze, die Klöster, die Dome und Kirchen, die Spitäler und sozialen Einrichtungen? All das ist aus dem Glauben unserer Ahnen und aus dem Mitgefühl mit der Not der anderen entstanden" sagte Iby. Auch die Bildungseinrichtungen seien "auf dem Mutterboden christlicher Werte" gewachsen. Zu diesen christlichen Werten gehöre ganz wesentlich ein "Menschenbild", das zur Sorge für die Würde jedes Menschen, zum gerechten Anteil an Lebensgütern, zum Schutz des Lebens von seinem Anfang bis zum natürlichen Ende und zum Respekt vor dem Gewissen des Menschen auffordert.

Diese Werte seien heute nicht nur angesichts der Entwicklungen in der Biomedizin gefragt. Auch die Hilflosigkeit gegenüber unmenschlichen Terroranschlägen zeige, dass Sicherheitsmaßnahmen alleine nicht Abhilfe schaffen könnten, so Iby. Letztlich ausschlaggebend sei die grundsätzliche Einstellung zur Würde der menschlichen Person und des menschlichen Lebens. Die christlichen Werte durch einen bloßen "Humanismus" zu ersetzen, greift nach Ansicht Ibys zu kurz, weil er die Frage offen lasse: "Wo findet der Mensch im Ernstfall und im Krisenfall ein tragendes Fundament?". Als Beispiel nannte der Bischof den Einsatz für Behinderte, der "genuin christlichen Ursprungs" sei: "Was ist, wenn all das finanziell zu aufwendig wird? Aus welchen Motiven speist sich dann menschenfreundlicher Humanismus?" Umso mehr bestehe heute eine wichtige Herausforderung der Kirche darin, mit der Botschaft des Evangeliums die weitere Entwicklung Europas in einem Geist der Geschwisterlichkeit zu stärken und gegebenenfalls "auch Korrekturen zu empfehlen".

Danach sprach Prof. Dr. Isidor Baumgartner, Lehrstuhl für Christliche Gesellschaftslehre und Caritaswissenschaften an der Theologischen Fakultät der Universität Passau, unter dem Titel "Reichen die seelischen Kräfte?" über Transformationsstress und Inspiration für ein neues Europa. Baumgartner stellt einleitend fest, dass es in Europa zwei gravierende Transformationsprozesse gibt. Die wirtschaftliche Transformation betrifft massiv und dramatisch die Länder Mittel-Osteuropas, also die EU-Beitrittskandidaten. Die soziokulturelle Transformation betrifft die Beitrittskandidaten etwas verzögert, vor allem betrifft sie die Länder Westeuropas. Dies bedeutet, dass die Länder Osteuropas sich in einer doppelten Transformation befinden. Es bedeutet aber auch, dass bei aller Eigentümlichkeit der nationalen Geschichte, die Menschen in Europa heute eine Schicksalsgemeinschaft bilden. Auf diesen Aspekt konzentriert sich Baumgartner in seinen Ausführungen besonders. Für die soziokulturelle Transformation stehen fünf Megatrends (Globalisierung, Krise des Fortschrittsglaubens, Pluralisierung, Individualisierung, und religiöser Gestaltwandel), deren Auswirkungen auf die Person Baumgartner näher behandelt. Exemplarisch sei hier der Aspekt der Globalisierung hervorgehoben: Viele Menschen in Europa haben den Eindruck, dass sie nicht zu den Gewinnern der wirtschaftlichen Globalisierung zählen. Sie fühlen sich ausgeliefert an Big-Business, Big-Money oder Big-Science. Ihre Arbeitsplätze und damit das wirtschaftliche Auskommen für sich und ihre Kinder erscheinen ihnen ungesichert. Zukunftsängste plagen sie. Das Ohnmachtgefühl, nur wenig Einfluss auf die eigene Situation zu haben, hat sich vor allem in den ehemals kommunistischen Ländern, vor allem Ungarn, Slowakei, Litauen, Polen seit 1990 verschärft, von 15% auf 20% der Bevölkerung (Ungarn). In im Zusammenhang mit den genannten Megatrends stellt Baumgartner die Frage: Woher sollten tragfähige Inspiration und Orientierung für die Menschen in Europa kommen, wenn nicht aus den spirituellen Quellen der zweitausendjährigen Geschichte des Christentums? Leben deuten, Orientierung Geben, sodann Helfen, Barmherzigkeit und Gerechtigkeit, dies sind nach Baumgartner die "ureigenen" Aufgaben der Kirche angesichts des verbreiteten Transformationsstresses in Europa. Nur auf diese Weise bekommt eine christliche Inspiration Herz, Hand und Fuß.

Den Freitag beschließen Länderberichte zu Ungarn, Slowenien, Kroatien und der Ukraine. Besonders hervorgehoben sei hier das Statement von Prof. Dr. Ivan Devcic, Erzbischof von Rijeka, zum Thema "Europäische Perspektiven" aus kroatischer Sicht. Einleitend betont der Erzbischof die Angst des kroatischen Volkes, von der europäischen Integration ausgeschlossen zu bleiben. Kroatien betrachtet sich nicht als "Balkan-Staat", was für die Kroaten soviel wie Rückständigkeit und Unordnung bedeutet. Vielmehr sieht sich Kroatien als mitteleuropäischer Staat, der die Beitrittskriterien der EU bereits zu einem großen Teil erfüllt. Dies wird jedoch gegenwärtig von der EU nicht anerkannt, was auch viele Enttäuschungen und Frustrationen hervorruft. Dennoch beschäftigt sich Kroatien intensiv mit dem neuen Europa mit dem Ziel, möglichst bald in der EU integriert zu werden. Im Hinblick auf die innere Gestaltung des gemeinsamen europäischen Hauses wünscht abschließend Erzbischof Devcic, dass dieses Haus auch auf den Werten der Freiheit, Gerechtigkeit, Solidarität, Subsidiarität sowie auf tiefen religiösen und metaphysischen Wahrheiten beruht.

Am Samstag, 16. Februar werden die Länderberichte mit Beiträgen aus Tschechien, der Slowakei und Polen fortgesetzt. Hier ist besonders der Bericht von Frau Prof. Dr. Irena Lipowicz, Botschafterin der Republik Polen in Österreich, hervorzuheben. Die Botschafterin betonte, dass von etlichen Menschen in Polen die Vorbereitung auf die EU-Integration mit Sorge gesehen wird. Es werden dabei besonders ein Identitätsverlust und ein Souveränitätsverlust befürchtet. Dennoch sind fast zwei Drittel der Polen für einen EU-Beitritt ihres Landes. Als einen besonderen Pluspunkt, den Polen mit seinen rund 39 Millionen Einwohnern in die EU einbringen könne, nannte Lipowicz eine in manchen Bereichen starke Tradition zivilgesellschaftlichen Engagements. Außerdem betonte sie die immer noch hohe Kirchenverbundenheit der Polen. Als Defizit bezeichnete sie das noch mangelnde Engagement der Laien.

Nach der Diskussion über Ergebnisse von Arbeitsgruppen zum Thema "Sozialethische Projekte in Mitteleuropa" schloss die Tagung mit einem Referat von Dr. Erhard Busek, Südosteuropa-Beauftragter der Europäischen Union zum Thema "Neues Europa: Vision und Zwischenstand". Busek betonte, dass sich die EU als "gigantisches historisches Projekt" bereits jetzt als "Erfolgsgeschichte" erwiesen habe. Busek machte auch deutlich, dass er bei der bevorstehenden Erweiterung mit der Aufnahme von zehn Kandidatenstaaten rechne. Besonders für die Mitte Europas ergibt sich daraus eine große Chance. Bedauerlich ist für Busek aber, dass die EU für Länder wie die Ukraine oder Weißrussland zur Zeit keine Beitrittsperspektive habe.

Gegenwärtig ist jedoch auch mehr Gemeinsamkeit in den Bereichen "Erziehung, Wissenschaft und Kultur" nötig, da die Frage der europäischen Identität nur von der Kultur her lösbar ist. Busek betont auch, dass im Vertrag von Maastricht (1992) eine subsidiäre Kompetenz geschaffen wurde. Diese ist im Interesse der Bürger ebenso auszubauen, wie gewisse Schwächen zu beseitigen sind. Dazu zählt Busek auch den Bereich der Medien. Es gibt keine europäischen Medien, obwohl solche auch für das Europäische Parlament von Bedeutung wären. Gefordert sind hier auch die verschiedenen Öffentlichkeiten - von der "Scientific community" bis zu den Kirchen.

Die Jahrestagung schloss mit einer kurzen Diskussion. Dabei wurde besonders die Tatsache hervorgehoben, dass diese Tagung mit Teilnehmern aus neun mittel- und osteuropäischen Ländern in deutscher Sprache auf hohem wissenschaftlichem Niveau, höchst informativ und in kollegialer Atmosphäre abgehalten werden konnte. Ausdrücklich wurde auch die Organisation der Tagung, die hohe Kompetenz der Referenten, sowie die Gastfreundschaft gelobt.

Teilnehmerverzeichnis

Am Symposium "Neues (Mittel-)Europa" in Wien nahmen folgende Personen teil:

Prof. Dr. Erwin **Bader**, Wien/Österreich

Prof. Dr. Stjepan **Baloban**, Zagreb/Kroatien

Prof. Dr. Isidor **Baumgartner**, Passau/Deutschland

Dipl.-Ing. Roman **Behul**, Bratislava/Slowakei

Prof. Dr. Ferenc **Beran**, Budapest/Ungarn

Em. Prof. Dr. László **Boda**, Budapest/Ungarn

Maria Magdolna **Boda**, Szombathely/Ungarn

Dkfm. Hugo **Bogensberger**, Wien/Österreich

Prof. Dr. Fritz **Breuss**, Wien/Österreich

Beata **Broczky**, Budapest/Ungarn

Dr. Erhard **Busek**, Wien/Österreich

Mag. Gottfried **Cech**, Wien/Österreich

Mag. Marián **Cipár**, Trnava/Slowakei

Erzbischof Prof. Dr. Ivan **Devcic**, Rijeka/Kroatien

Botschaftsrat Dr. Jaroslaw **Drozb**, Wien/Österreich

Sr. DDr. Dominika Alzbetá **Dufferová**, Bratislava/Slowakei

KR Diakon Dr. Franz **Eckert**, Alland/Österreich

Gerda **Eibensteiner**, Linz/Österreich

Kanonikus Prof. DDr. János **Goják**, Pécs/Ungarn

Dr. Gábor **Györivanyi**, Budapest/Ungarn

Anneliese **Heindl**, Linz/Österreich

Yaroslav **Hlystyuk**, Lviv/Ukraine

Dipl. Theol. Frans **Hoppenbrouwers**, Nijmegen/Niederlande

Bischof Dr. Paul **Iby**, Eisenstadt/Österreich

Prof. Dr. Janez **Juhant**, Ljubljana/Slowenien

Dr. Franjo **Jurcevic**, Rijeka/Kroatien

Josef **Kaman**, Brno/Tschechien

Mgr. Dr. Milan **Katuninec**, Trnava/Slowakei

Ing. Dkfm. Georg **Kopetzky**, Altlengbach/Österreich

Dipl.-Ing. Pavel **Kossey**, Bratislava/Slowakei

Dipl.-Ing. Krisztina **Kruppa**, Budapest/Ungarn

Mag. Walter **Kühnelt**, Wien/Österreich

Jozef **Kuzár**, Spisské Podhraclie/ Slowakei

Msgr. Prof. Mag. Dr. Heribert **Lehenhofer**, Wien/Österreich

Botschafterin Prof. Dr. Irena **Lipowicz**, Wien/Österreich

Dr. Janez **Markes**, Ljubljana/Slowenien

Dipl.-Ing. Cyril **Martinek**, Brno/Tschechien

Prof. Dr. András **Máté-Tóth**, Szeged/Ungarn

Dr. Werner **Mikulitsch**, Wien/Österreich

Peter **Mrvik**, Wien/Österreich

Prof. Mag. Dr. Leopold **Neuhold**, Graz/Österreich

Dr. Helmut **Ornauer**, Wien/Österreich

Kaplan Mag. Tibor **Papp**, Kisvàrda/Ungarn

Pfarrer Mag. Julius Marian **Prachár**, Beladice/Slowakei

Prof. MMag. Dr. Herbert **Pribyl**, Wien/Österreich

Pfarrer Mag. Dr. Tadeusz **Pyzdek**, Wien/Österreich

Dr. Lorant **Rácz**, Wien/Österreich

Prof. Dr. Helmut **Renöckl**, Linz/Österreich

Botschafter Dr. Martin **Sajdik**, Wien/Österreich

Dechant Mag. Dr. Franz **Scharl**, Wien/Österreich

Prof. Dr. Volodymyr **Scheremeta**, Ivano-Frankivsk/Ukraine

Diakon Mag. Dr. Peter **Schipka**, Wien/Österreich

Prof. DDr. Johannes Michael **Schnarrer**, Wien/Österreich

Dr. Andreas **Sethy**, Wien/Österreich

Dr. Petr **Slouk**, Wien/Österreich

Monika **Slouk**, Wien/Österreich

Prof. Dr. János **Soltész**, Nyiregyhaza/Ungarn

Doz. Mag. Dr. Eva **Sotoniaková**, Ostrava-Zábreh/Tschechien

Dr. Jirina **Stouracova**, Brno/Tschechien

Monika **Tarr-Györivanyi**, Budapest/Ungarn

Mag. Dr. Benjamin **Taubald**, Wien/Österreich

Mag. Petar **Tomasic**, Rijeka/Kroatien

Maria **Tomeková**, Freiburg/Deutschland

Ing. Dr. Miroslav **Vano**, Bratislava/Slowakei

Pfarrer MMag. Dr. Christian **Vurglics**, Großmür-bisch/Österreich

Dr. Bedrich **Vymetalik**, Frydek-Mistek/Tschechien

Prälat em. Prof. DDr. Rudolf **Weiler**, Wien/Österreich

Botschafter DDr. Michael **Weninger**, Brüssel/Belgien

Georg **Ziselsberger**, Wien/Österreich